Cara sa Choill

Marie Gibson a scríobh
Kelvin Hawley a mhaisigh
An tÁisaonad a d'aistrigh

Clár

Caibidil a hAon

"A Pheilí,"arsa Airne i gcogar brónach. "Cá huair a bheidh siad ar ais?"

Aníos ó aibhleoga na tine d'amharc Peilí ar a dheirfiúr. "Gan mhoill," ar seisean léi agus fios maith aige gur bréag a bhí ann.

"Beimid ar ais roimh éirí gréine amárach," a dúirt a n-athair leo, ach bhí an ghrian i ndiaidh éirí trí huaire ó shin agus ní raibh na tuismitheoirí ar ais. Agus Peilí ag stánadh ar an tríú cloch, an ceann a leag sé amach d'éirí gréine an lae inniu, thiontaigh a ghoile le heagla. Uafás éigin a tharla lena gcoinneáil ar shiúl chomh fada sin.

"Coimhéad an tine, a Pheilí," an rud deireanach a dúirt a athair leis. "Agus fan amach as an choill." Thóg sé a lansa agus a bhata agus shiúil cosnocht, é féin agus a mháthair, síos cosán cúng na haille. Bhí an seansparán craicinn ina raibh a chuid uirlisí gearrtha crochta faoina choim. Choimhéad Peilí agus Airne orthu ó bhéal na huaimhe go dtí gur imigh siad as radharc isteach sa choill.

"Tá ocras orm agus tá mé fuar." Bhí Airne ag

5

gearán agus ag cur isteach ar smaointe a dearthár. Bhí sé mall sa tráthnóna, agus oíche eile rompu leo féin. Thosaigh sí a chrith nuair a nocht na scamaill as cúl na sléibhte thiar. Mhúch siad solas na gréine a bhí ag lonrú ar bharr na gcrann thíos sa choill. Bhí tuilleadh fearthainne ar an bhealach. Ba é seo an tríú lá fliuch i ndiaidh a chéile. Tharraing Airne craiceann an bhéir a mharaigh siad an fómhar roimhe sin go teann thar a corp tanaí.

Tráthnóna mar seo a bhí ann nuair a thug an béar iarraidh an uaimh a ghabháil do chodladh fada an gheimhridh. Ní raibh fágtha den tine ach dornán aibhleog agus chuaigh an teaghlach isteach sa choill a chruinniú adhmaid don tine.

Bhí siad ar a mbealach ar ais chun na huaimhe nuair a chonaic Peilí an béar. Bhí sé ina shuí ar a ghogaide ag béal na huaimhe, gan aird aige ar an tine lag. Mar gheall ar a gcrúba fíochmhara agus ar a láidreacht, ní bhíonn eagla ar na béir roimh rud ar bith.

Clisteacht agus crógacht a n-athar a chuidigh leo an uaimh a fháil ar ais. Ar dtús scairt sé ar an bhéar, lena aird a tharraingt. Chaith sé clocha leis go dtí gur bhúir sé le fearg, agus ansin theith sé ar ais sa choill agus an béar sa tóir air. Mheall sé i dtreo poill é a bhí tochailte acu le torc allta a cheapadh, agus rith sé go héadrom thar na bataí a bhí á chlúdach. Ón taobh thall, scairt sé air agus chaith sé tuilleadh cloch.

Thug an béar ruathar faoi! Bhris a mheáchan trom trí na bataí laga agus isteach leis sa pholl. Ansin, sháigh an t-athair, an mháthair agus Peilí an beithíoch le lansaí agus le sleánna go dtí go bhfuair sé bás.

"Is trua gur imigh mo mháthair agus m'athair." Bhí Airne ag gearán go fóill.

"Ní raibh siad ag iarraidh imeacht," a d'inis Peilí di arís. Cá mhéad uair a bhí sin ráite aige? "Chuaigh siad a sheilg cionn is go gcaithfimid feoil a bheith againn."

"Ach cad chuige a ndeachaigh siad chomh fada sin ó bhaile ?"

"Cionn is nach fiú bheith ag seilg san áit seo. Sin mar atá ó bhí an samhradh ann. Tá a fhios agat go raibh muid stiúgtha leis an ocras." Smaoinigh sé ar an choinín agus ar an charn bheag cnónna agus caor a bhí le hithe acu go bhfillfeadh na tuismitheoirí. Ní raibh fágtha anois ach cnámha an choinín. Níorbh iontas ar bith é go raibh ocras orthu.

"Cad chuige nár thug siad leo muid?"

"Tá a fhios agat cad chuige!" Bhí Peilí ag éirí mífhoighneach. Ach, nuair a tharraing Airne a cos siar as radharc faoi chraiceann an bhéir, tháinig náire air. Bhí fuath aici ar a cos. Bhí sí ní ba lú ná an leathchos eile, agus ní raibh sí ábalta a ladhracha a lúbadh i gceart. Bhí sí bacach. Ní bheadh sí ábalta gluaiseacht chomh gasta le daoine eile ar thuras fada.

Bhí cuimhne go fóill ag Peilí ar an oíche ar rugadh a dheirfiúr. Ocht samhradh ó shin a tharla sé, nuair a bhí sé féin sé bliana d'aois. San am sin bhí siad ina gcónaí le cúig theaghlach eile, agus bhí cairde ag Peilí. Ach bhí an mí-ádh le páiste nár rugadh slán.

"Tuar oilc í," arsa na mná agus iad ag stánadh síos ar an leanbh. Chroith siad a gceann agus thiontaigh uaithi. Níor tharla an féasta agus ní dhearnadh an ceiliúradh ba ghnách a dhéanamh agus leanbh i ndiaidh teacht ar an saol. Ní raibh cead ag na páistí eile dul in aice leis an leanbh, ná ní raibh cead acu súgradh le Peilí ach a oiread.

"Beidh tuilte ann - nó triomach b'fhéidir. Imeoidh

na hainmhithe. Beidh an tseilg go holc. Beimid uilig thíos leis." Bhí na fir ag monabhar agus ag dul ó chos go cos sa ghaineamh bhog. Thóg duine acu sleá agus thriail sé a meáchan, agus thug spléachadh ar na fir eile trína shúile cúnga.

Bhí máthair Pheilí réidh faoina gcoinne. Chuir sí an leanbh i gclúid i gcúl na huaimhe. "Gabh siar ar mo chúl," ar sise le Peilí.

Agus sleánna agus bataí seilge réidh ina lámha acu, sheas tuismitheoirí Pheilí idir an leanbh agus na fir. Bhí a athair níos airde agus níos láidre ná na fir eile, ach ba mhaith a bhí a fhios ag Peilí gurbh é an t-amharc fiata i súile a mháthar a thug orthu cúlú. Dá dtosódh troid bhainfeadh na fir eile nó bhí níos mó acu ann ach gheobhadh cuid mhór acu bás sa troid.

Ar feadh sé lá choinnigh máthair Pheilí a dheirfiúr bheag i bhfolach i gcúl na huaimhe. Agus ansin, go luath maidin amháin, fad a bhí na daoine eile ina gcodladh, d'éalaigh siad leo a chuardach áit úr chónaithe. Chuaigh Sáí, deartháir óg a n-athar, ina gcuideachta. Thug siad leo lóchrann le tine a lasadh, agus shiúil siad lá agus oíche go dtí gur aimsigh siad an uaimh seo.

Smaoinigh Peilí gurbh fhéidir go raibh an ceart ag na mná sin, agus go raibh mí-ádh le hAirne. Chuimhnigh sé ar an lá a ndeachaigh Sáí agus a athair amach a sheilg agus nár tháinig ach fear amháin acu ar ais.

"Liopard," arsa a athair agus é ag stámhailleach isteach faoi mheáchan an ainmhí. "Tháinig sé ar Sháí gan choinne ag an pholl uisce. Ní raibh seans dá laghad aige."

Nuair a thit corp an chait mhóir ar urlár na huaimhe, chonaic Peilí an gearradh ar ghualainn a athar. Chlúdaigh a mháthair an chneá le duilleoga leighis, ach an oíche sin choinnigh a athair an chuid eile múscailte lena chuid geonaíola. Chuaigh dhá lá thart sula raibh sé láidir go leor le corp Sháí a thabhairt ar ais. Bhí bás Sháí ar iompar leis ó shin.

Ag amharc anonn ar an chloch throm san áit ar chuir siad a uncail faoi charn carraigeacha, chuimhnigh Peilí go mbíodh Sáí i gcónaí ag gáire agus ag magadh, agus ag insint do Pheilí gur sealgaire mór a bheadh ann. Ach ní mar sin a tharla.

Ar dtús, dúirt siad nach raibh Airne mór go leor le dul leo, agus go gcaithfeadh Peilí fanacht sa bhaile ag tabhairt aire di. Ansin, nuair a bhí sí mór go leor, dúirt siad dá dtiontódh ainmhí fíochmhar orthu, go gcuirfeadh droch-chos Airne moill orthu dá mbeadh siad ag iarraidh éalú. Bhíodh a athair i gcónaí ag rá, "Rachaidh tusa an chéad uair eile, a Pheilí. " Ach, ba é "an chéad uair eile," i gcónaí é.

Oíche amháin, bhí Peilí ag éisteacht nuair ba chóir dó bheith ina chodladh. Chuala sé a mháthair ag rá, "Ta cúrsaí seilge ag dul go maith le tamall. An síleann tú go bhfuil deireadh leis an mhí-ádh ó mharaigh an liopard do dheartháir?" Ach, i dtaca le Peilí de, bhí an mí-ádh i ndiaidh éirí níos measa.

"Dá mairfeadh Sáí, thabharfadh sé ar m'athair mé a thabhairt leo," arsa Peilí de mhonabhar. Thiocfadh lena mháthair amharc i ndiaidh Airne. Mar sin féin, b'éigean dó a admháil go raibh cuid mhór feola, chomh maith le caora agus cnónna, i ndiaidh teacht ón choill.

Mar sin a bhí go dtí an samhradh anuraidh. Ón am sin, níor thit deoir fearthainne, agus bhí an ghrian gheal the ag soilsiú. Thriomaigh na srutháin agus na poill uisce a mbíodh na hainmhithe ag tarraingt orthu le deoch a ól. Is ar éigean a bhí feoil ar bith le fáil - giorria uair amháin, agus éan anois agus arís a mharaigh a n-athair le cloch ón chrann tabhaill.

Ansin, trí lá ó shin, cúpla uair an chloig i ndiaidh

do na tuismitheoirí imeacht, chruinnigh néalta dubha os cionn na gcnoc, agus bhí deora troma fearthainne ag siosarnach ar na clocha teo thart ar an tine. Ina dhiaidh sin, lean na ceathanna fearthainne ceann i ndiaidh an chinn eile. Bheadh an poll uisce lán faoin am seo. Níorbh fhada go dtiocfadh na hainmhithe ag ól as. Ba thrua le Peilí nár fhan a thuismitheoirí.

Agus éadóchas ag teacht air, chruinnigh Peilí an chuid dheireanach den bhrosna agus chaith sé ar an tine é. Chothaigh an tine í féin ar an choirt agus ar na duilleoga tirime. Phreab siad agus bheoigh siad agus shoilsigh siad ar an ghasúr dhubh a raibh a chóta craiceann fia róbheag aige cheana féin. D'éirigh scáil Airne go hard ar bhalla na huaimhe, agus chuir sin an béar i gcuimhne dó arís. Craos mór tine an t-aon rud amháin a choinneodh an chéad cheann eile ar shiúl.

"Tá mé ag dul a fháil tuilleadh adhmaid," arsa Peilí.

"Ach dúirt m'athair linn fanacht amach as an choill."

"Tuigim é sin, ach níl m'athair anseo. Ar mhaith leat go rachadh an tine as?"

"Níor mhaith," arsa Airne, agus í ag streachailt le héirí ina seasamh. "Ach, má tá tusa ag dul, beidh mise leat."

"Ní bheidh. Fan thusa anseo. Tá tú rófhadálach."

"Níl mé," arsa Airne. "Thig liomsa adhmad a iompar fosta. Rud eile - nár dhúirt m'athair 'Ná gabh choíche isteach sa choill leat féin.' "

Rinne Peilí moill, agus é idir dhá chomhairle. Dá dtarlódh rud ar bith di? Ní mhaithfeadh a mháthair ná a athair dó é choíche - dá dtiocfadh siad ar ais choíche. Ach bhí an ceart ag Airne, níor chóir do dhuine ar bith dul isteach sa choill leis féin.

"Tá go maith," ar seisean sa deireadh. "Las thusa lóchrann."

"Ach níl sé dorcha go fóill. Agus níor chóir dúinn lóchrainn a chur amú."

"Tá a fhios agam, ach ar eagla go gcasfaí ainmhí contúirteach éigin orainn." Bhí an liopard a mharaigh Sáí maraithe ag a athair, ach bhí a fhios ag Peilí go mbeadh tuilleadh acu ann. "Coinneoidh an lóchrann uainn é."

Lig Airne do chraiceann an bhéir titim agus chuaigh de chéim bhacach isteach san uaimh. Nuair a tháinig sí ar ais, bhí mála folamh ceangailte faoina coim. Bhí bata trom aici ina lámh. Bhí coirt, a bhí ar maos i saill béir, fillte thart ar bharr an bhata.

13

Sháigh sí isteach sna bladhairí é nó gur thosaigh an tsaill a phlobarnaíl agus a phléascadh, ansin las sé agus chaith scáileanna na bpáistí ar bhallaí dorcha na huaimhe.

"Seo leat." Bhí Peilí ag coimhéad ar imeall na coille. Taobh amuigh den fheochán gaoithe a bhíodh i gcónaí ag corraí bharr na gcrann ab airde an t-am seo de lá, bhí gach rud suaimhneach.

Chuaigh Peilí síos an cosán go bun na haille. Mura ndéanfadh sé deifir, b'fhéidir gur eagla a thiocfadh air. Lean Airne é agus í lán chomh gasta, ainneoin a coise. Cúpla bomaite níos moille shroich siad na crainn a bhí ar imeall na coille, ach bhí an talamh ansin lom. Bhí an t-adhmad uilig cruinnithe acu cheana féin. Chaithfeadh siad dul níos faide. Bhí a súile ag amharc isteach i ndorchadas na coille féin.

Níor amharc ceachtar acu siar. Agus ní fhaca siad an cruth dorcha a bhí ag dul suas taobh an chnoic i dtreo na huaimhe.

Caibidil a Dó

Chuaigh Airne agus Peilí fada go leor isteach sa choill sular stad siad. Bhí gaoth láidir ag séideadh an oíche roimh ré agus bhí cipíní marbha scaipthe ar fud urlár na coille.

Thóg Peilí an lóchrann óna dheirfiúr agus sháigh sé isteach sa talamh é. Ansin chruinnigh sé clocha thart fá dtaobh de lena chinntiú go bhfanfadh sé ina sheasamh. Fad a bhí seisean ag tabhairt faoi bhrosna a chruinniú, bhí Airne ag stánadh isteach trí ghéaga íochtaracha crainn a bhí in aice leo. "Ná bí i do sheasamh ansin," a d'ordaigh sé di. "Cuidigh liom na cipíní seo a chruinniú."

Níor thug Airne aird ar bith air. Bhog sí ní ba chóngaraí don chrann agus thosaigh a scaradh na nduilleog lena lámha.

I dtobainne, bhain siosarnach sna géaga os cionn Airne geit as Peilí. Bhí rud éigin thuas ann. "Coimhéad!" a scread sé, agus é ag léim siar.

Chaith Airne í féin síos ar an talamh agus éan mór ag tabhairt ruathair anuas. Bhagair a chágaíl gharbh orthu agus é ag imeacht uathu, agus a

15

sciatháin ag bualadh tríd an aer. Stán Airne air ag imeacht, agus ansin d'éirigh sí agus chuaigh ar ais a chuardach tríd na duilleoga. "Ní raibh ann ach préachán," ar sise agus faoiseamh uirthi. "Ba bhreá liom dá mbéarfaimis air."

"Cad é atá tú a dhéanamh ansin?" a d'fhiafraigh Peilí, agus náire air gur scanraigh éan é.

"Ag cruinniú na gcnónna seo." Tharraing Airne dornán acu ón chrann agus chuir isteach ina mála iad. Bhí fonn ar Pheilí an brosna a chaitheamh uaidh agus roinnt cnónna a fháil dó féin. Bhí sé stiúgtha. Ach bhí ocras ar Airne fosta, ach ní raibh sise ag ithe. Bhí a fhios aige go bhfanfadh sí agus go roinnfeadh sí na cnónna leis san uaimh, mar a rinne a dtuismitheoirí i gcónaí.

Nuair a bhí siad ag teacht a fhad le bun na haille, bhí an ghrian ag dul i bhfolach ar chúl an chnoic agus i dtobainne d'éirigh siad fuar. Agus ní le titim na teochta amháin, ach le heagla fosta roimh oíche eile a chaitheamh leo féin.

Chaith Peilí uaidh a ualach brosna taobh amuigh den uaimh. "Caithfimid tuilleadh a bhailiú," ar seisean, agus é ag stánadh ar an charn bheag cipíní. "Ní mhairfidh sé seo go maidin."

"Anois díreach?" Bhí giorra anála ar Airne agus í ag teacht aníos ina dhiaidh. Chrom sí lena mála

cnónna a chur i bhfolach faoi chloch.

Chlaon Peilí a cheann. "Seo leat." Rug sé ar an lóchrann agus d'imigh leis arís, ag amharc thar a ghualainn lena chinntiú go raibh Airne á leanúint.

An t-am seo, ní raibh aird acu ar chnónna. Thóg siad beirt a oiread adhmaid agus a thiocfadh leo a iompar agus dheifrigh siad amach as an choill. Bhí a fhios acu faoi na hainmhithe a thagadh amach san oíche - na cait mhóra agus na mic tíre. Léimfeadh na

17

liopaird ar a gcreach ó na crainn os a gcionn. Bhíodh na mic tíre ag dul thart faoin choill ina scáileanna scáfara. Feoiliteoirí iad an dá chineál ainmhí, agus gan mórán bia ar fáil. Faoin am a raibh na páistí slán sábháilte ar ais san uaimh, bhí Peilí ag samhlú gur chuala sé drannadh an liopaird agus crúba na mac tíre ar na carraigeacha.

Ar a gogaide ag an tine, d'amharc Airne ar Pheilí agus é ag briseadh cipíní beaga ó cheann de na géaga. Chuir sé sna haibhleoga iad agus shéid go bog orthu. D'éirigh an toit in airde ina cuar casta agus phreab na bladhairí beaga. Leag sé bataí níos mó thar na cipíní agus shéid sé arís. Shocraigh an bheirt acu siar ansin ar a sála agus shín a lámha amach i dtreo na mbladhairí teo.

"Anois," arsa Airne, agus í ag mothú níos teo. "Bia." Tharraing sí aniar an charraig, scaoil sí an mála agus dhoirt amach na cnónna ar charraig a bhí taobh leis an tine. Dhing Peilí ceann acu isteach i gclais, thóg aníos cloch, agus scoilt an bhlaosc. Lena ingne, a bhí dubh faoina n-imeall, tharraing sé ó chéile í agus nocht an cnó súch bán.

"Ceann duitse," ar seisean, agus thug d'Airne é. Chnag sé ceann eile ansin dó féin agus chogain an cnó milis a bhí istigh ann. Lean sé leis ag cnagadh cnónna agus ag tabhairt dara gach ceann acu dá dheirfiúr, go dtí go raibh deireadh ite. Thiocfadh leis tuilleadh acu a ithe, ach bhí an mothú ocrach a bhí ina ghoile i ndiaidh imeacht. Ar dhóigh éigin, áit éigin chaithfeadh siad tuilleadh bia a aimsiú don lá amárach, agus don lá ina dhiaidh sin agus don lá ina dhiaidh sin arís.

Chuimhnigh Peilí ar chnámha an choinín a d'fhág a n-athair acu. Ní raibh feoil ar bith fágtha orthu, ach ba mhaith iad le cogaint orthu. "Cad é a rinne tú leis na cnámha sin, a Airne?" a d'fhiafraigh sé.

Dhírigh sí a méar. "Ansin thall a bhí siad, ar an charraig." Rud éigin a thóg iad - rud éigin nach raibh a oiread eagla roimh thine air agus a bhí ar ainmhithe eile.

Stán Peilí isteach sa dorchadas go géar. "Mac tíre?" ar seisean i gcogar. Lorg sé coiscéimeanna ach níor leor solas na tine. Chaith sé tuilleadh brosna ar na bladhairí agus súil aige go mairfeadh siad slán go maidin.

Shleamhnaigh Peilí níos cóngaraí don tine, rinne log seascair dó féin sa talamh, agus dhruid sé a shúile. Tháinig am an tsonais, nuair a bhí siad ina gcónaí leis na teaghlaigh eile, ina bhrionglóidí chuige. Bhí sé sé bliana d'aois arís, ag dreapadh na gcrann agus ag tóraíocht éan lena chara Gil. Thart ar an tine san oíche, ba ghnách leo coimhéad ar na fir ag dul siar ar sheilg an lae. Lig Peilí osna trína chodladh agus é ag amharc ar a athair, greim aige ar cheann bíosúin go hard os a chionn, é ag damhsa le solas na tine agus glórtha na bhfear ag cantaireacht.

Lean a uncail, a bhí beo i mbrionglóid an ghasúir, an bíosún bréige agus chuir i gcéill é a mharú lena lansa. "Coimhéad!" ba mhian le Peilí a scairteadh lena athair, ar eagla go ngortófaí é.

I dtobainne, mhúscail pian loiscneach é. Bhí sé i ndiaidh bogadh róchóngarach don tine. Dhírigh sé aniar agus chuir méar spuaiceach ina bhéal. Líon a shúile le deora feirge. Bhí fearg air gur fhág siad a gcuid cairde, bhí fearg air gur ruaig an triomach na hainmhithe, bhí fearg air nár thug a athair leis ar an tseilg é. Ach bhí sé faoi ghruaim fosta, agus eagla air cionn is go raibh sé féin agus Airne leo féin. Le himeacht ama ba léir gur tharla rud éigin do na tuismitheoirí agus gurbh fhéidir nach bhfillfeadh siad go deo.

Chuach Peilí a ghlúine lena ucht agus d'amharc amach thar bharr na gcrann. Bhí an ghealach ag soilsiú, ag déanamh paistí solais agus scáile ar bharra na gcrann. Caithfidh sé go raibh bia le fáil áit éigin sa choill, agus ní caora ná cnónna amháin. Feoil a bhí sé a shantú.

Ina luí cois tine dó chuimhnigh Peilí ar an mhuc óg a mharaigh a athair an t-am seo anuraidh. Ba bhreá an boladh é boladh na feola rósta agus ba bhreátha arís a blas.

Airne ba thúisce a chuala na muca ag gnúsacht agus ag sceamhlach in aice le poll an uisce. B'éigean do Pheilí a admháil gur géire cluasa Airne ná cluasa aon duine eile. "Ach is liomsa na muca sin," ar sise, ag gearán in ard a glóir. "Mise an chéad duine a chuala iad."

"Cad é fúmsa? Nár chóir domsa bheith amuigh ag seilg agus gan bheith i mo shuí le mo dheirfiúr bheag." Thóg Peilí lán a dhoirn de chlocha agus chaith sé iad, ceann i ndiaidh an chinn eile, ar charraig a bhí ag gobadh amach as an aill. Iontas na n-iontas, níor chaill sé ach le ceann amháin acu, an scór ab fhearr aige go dtí sin.

D'imigh an fhearg de agus shleamhnaigh sé isteach san uaimh go bhfuair sé an dara crann tabhaill ab fhearr de chuid a athar. Theilg sé cloch uaidh agus bhuail sí carraig, agus bhris ina píosaí beaga. Nuair a d'fheicfeadh a athair cé chomh maith leis, dar le Peilí, chaithfeadh sé é a thabhairt leis ar an chéad seilg eile.

Ach níor thug. Fágadh Peilí thiar arís ag tabhairt aire dá dheirfiúr, agus fearg ar a athair gur úsáid an gasúr an tabhall gan a chead.

Bliain ó shin a tharla sé. Dá dtabharfadh a athair ina chuideachta sa tseilg é, b'fhéidir nach mbeadh cúrsaí chomh holc anois agus a bhí. Dá rachadh seisean sa tseilg in áit a mháthar...

Ach ní raibh ciall lena smaointe. Nár chuma cé a dhéanfadh an tseilg, nó ní raibh rud ar bith le ceapadh, agus ní bheadh go dtí go dtiocfadh na hainmhithe ar ais chuig an pholl uisce.

Agus é ag tiontú lena dhroim a théamh ag an tine, chuala sé siosarnach. Choinnigh sé a anáil istigh agus d'éist. Siosarnach eile... Deora fearthainne ag titim ar an tine san áit nach raibh foscadh aici ó na carraigeacha os a cionn. Choimhéad Peilí an spéir le súile leathdhalla. Bhí an ghealach as radharc agus ní raibh réaltaí ar bith le feiceáil thuas. Bhí trí lá fearthainne déanta aige cheana féin agus bhí sé ag cur arís.

Ar leor é sin?

Caibidil a Trí

Mhúscail Airne, néalta dorcha sa spéir agus é ag stealladh báistí. Rith sí amach, d'ardaigh a haghaidh i dtreo na spéire, agus shín amach a lámha. "Fearthainn," a scairt sí. "Is breá liom í!" Rinne sí gáire agus an t-uisce ag sileadh as a cuid gruaige agus síos ar a cosa. "Agus éist!" Thiontaigh sí a ceann agus d'fhan sí ina staic.

"Cad é atá ann?"

"Sruth uisce," ar sise i gcogar. "A Pheilí, sin an sruthán. Caithfidh sé gur thit neart uisce thiar ansin." Chroith sí a lámh i dtreo na sléibhte, a bhí i bhfolach faoi cheo dlúth. "Fillfidh na muca agus na fianna anois. Agus tiocfaidh ár máthair agus ár n-athair abhaile - nach dtiocfaidh?"

"Tiocfaidh." Chlaon Peilí a cheann go mall, ach bhí a fhios aige nár chreid sí é.

"Ní chreideann tú go dtiocfaidh." Chuaigh Airne ina threo go bacach agus rug greim láimhe air.

"Níl a fhios... níl a fhios agam."

"Cad chuige?"

"Le trí lá anuas, tá sé ag cur."

"Nach maith atá a fhios sin agam!" Bhí Airne mífhoighneach, dar leat. "Cúis eile, shílfeá, go dtiocfadh siad abhaile."

"Dá mbeadh siad ag filleadh mar gheall ar an fhearthainn, shílfeá go mbeadh siad anseo dhá lá ó shin."

"Ach ní imeodh siad agus muid a fhágáil - muid a fhágáil d'aon turas, an dtuigeann tú!"

"Ní imeodh, ar ndóigh. Ní d'aon turas ar scor ar bith. Ach má tharla rud éigin dóibh? Má tá siad..." Níor mhian leis é a rá.

"Má tá siad cad é...?" Chroith Airne sciathán a dearthár.

"Gortaithe nó rud éigin." Thiontaigh sé uaithi, ar eagla go bhfeicfeadh sí an eagla ina shúile. Ansin thiontaigh sé ar ais chuici. "Níl cuimhne agat ar dheartháir m'athar, an bhfuil?"

Chroith Airne a ceann.

Thosaigh Peilí a insint scéal an liopaird di.

Agus é ag críochnú an scéil, bhí Airne ar a glúine ag stánadh isteach in aibhleoga na tine. "Cad é atáimid ag dul a dhéanamh?"

Chuala Peilí an t-éadóchas ina glór. Chuaigh sé ar a ghlúine taobh léi. Sin an cheist a bhí sé a chur air féin le trí lá anuas. Cad é a dhéanfadh siad? Chuir sé a cheann faoi. Stán sé isteach sa tine agus thosaigh sé á coigilt le bata. Léim drithleoga amach aisti, agus thit ceann ar a chos.

"Áigh!" Bhí sé nimhneach. Léim sé ina sheasamh, sciob dornán d'adhmad na hoíche aréir, agus chaith sé isteach sa tine é. D'éirigh an toit in airde. "Inseoidh mé duit cad é a dhéanfaidh mé!" Thug sé súil ghéar ar a dheirfiúr. "Tá mé ag dul a fháil bia - bia ceart. An mbeidh tú liom?"

Ní raibh cnónna ar bith fágtha ar an chrann a d'aimsigh Airne an oíche roimhe sin, agus bhí an cineál sin crann gann. Lean na páistí lorg na n-ainmhithe tamall fada isteach sa choill sular aimsigh siad ceann eile.

"Sin ceann thall ansin," a scairt Peilí, ag díriú a mhéire ar chrann caol. B'fhearr cnónna ná faic, ach na cnónna a bhí le feiceáil, bhí siad thuas ar bharr an chrainn.

"Rachaidh mise suas," arsa Airne. "Tá tusa róthrom. Brisfidh tú an crann agus ní bheidh cnónna ar bith againn an bhliain seo chugainn."

Má bhímid beo go fóill an bhliain seo chugainn, a bhí Peilí ag rá leis féin, ach ní dúirt sé os ard é. Ba mhaith an dreapadóir í Airne. Má bhí a cos lag féin, bhí láidreacht ina sciatháin agus ina guaillí. Taobh istigh de chúpla soicind, bhí sí thuas sa chrann ag caitheamh cnónna síos chuig a deartháir.

"Níl fágtha ach cúpla ceann eile," a scairt sí, agus shín a lámh chuig an ghéag dheiridh. I dtobainne, stad sí, agus thiontaigh a ceann i dtreo amháin agus ansin sa treo eile. Bhí a fhios ag Peilí go raibh cluas le héisteacht uirthi, ag iarraidh a aithint cá has a raibh an tormán ag teacht. Choinnigh sí a lámh ar chúl a cluaise leis an fhuaim a cheapadh.

"A Pheilí," ar sise leis i gcogar, agus í ag díriú a méire. "Thall ansin."

Lean súile Pheilí méar a dheirféar. "Tá rud éigin ansin." Chuimhnigh sé ar na cnámha a bhí ar iarraidh ó thaobh na tine. Cé nó cad é a thóg iad? An raibh sé sa tóir air féin agus ar a dheirfiúr anois?

Bhí Peilí ag cúlú cheana féin i dtreo crainn mhóir nuair a réab scread Airne ar fud na coille. "Rith, a Pheilí! Torc allta atá ann!"

Chuaigh Peilí de léim in airde agus lúb a mhéara thart ar ghéag agus rug greim uirthi leis an lámh eile. Tharraing sé é féin aníos sa chrann díreach agus an torc ag rith amach as na sceacha agus ag sciorradh ina stad díreach thíos faoi. Cruth sisil a bhí ar a chosa, iad róbheag, dar leat, lena chorp mór a iompar, agus d'fhág siad lorg sáite sa talamh tais.

Chas sé bealach amháin agus bealach eile ar lorg a namhad, agus é ag gnúsachtach le fearg gur cuireadh isteach air.

Stán Peilí síos óna shuíochán sábháilte ar an droim dronnach a bhí clúdaithe le fionnadh dubh garbh, agus na súile beaga ag lonrú faoi na cluasa giobacha. Ba bheag nach raibh a starrfhiacla cuartha ina bhfáinní ar gach taobh dá bhéal. Chuimhnigh Peilí siar ar gach rud a dúirt a athair leis faoi na toirc, ach níor luaigh sé riamh leis gur ith siad cnámha coinín!

"Tá an torc allta cliste," a dúirt a athair, "agus tá sé foighneach. Nuair a éireoidh tusa tuirseach den tseilg, beidh seisean ag fanacht go fóill leis an seans dul sa tóir ortsa." Le bata biorach, scríob sé cruth an toirc sa ghaineamh. "Tá cuma chiotach air, ach tá sé chomh haclaí le cat. Agus tá sé gasta. Ní sháróidh tú choíche i rás é. Níl ach rud amháin nach dtig leis a dhéanamh agus sin dreapadh. Cuimhnigh air sin. B'fhéidir go sábhálfadh sé do bheo."

Thosaigh an torc ag tochailt leadhb de chréafóg fhliuch lena ghaosán, ag caitheamh moll clábair san aer, ag sceamhaíl agus ag srannadh. I dtobainne, stad sé, chúlaigh beagán, agus stán i dtreo na gcrann os a chionn.

An dtig leis mé a fheiceáil? arsa Peilí leis féin. Níor luaigh a athair rud ar bith mar sin riamh. Bhí soc an toirc ag bolú an aeir. Chuaigh sé ar sodar ansin chuig crann Pheilí, sheas ar a chosa deiridh, agus scríob stoc an chrainn lena chosa tosaigh. Lig sé gnúsacht.

"A Pheilí!" Tháinig cogar scanraithe Airne aníos tríd na crainn. "Cad é a dhéanfaimid?" Chas an torc thart timpeall agus chuaigh ar sodar i dtreo an ghlóir.

"Smaoineoimid ar rud éigin." Ní raibh a fhios aige cad é, ach ní thiocfadh leis é sin a rá lena dheirfiúr. "B'fhéidir go gcaithfimis fanacht go n-éiríonn sé tuirseach agus go n-imíonn sé." Ach cá huair a tharlóidh sé sin? Ní tharlóidh sé choíche, má b'fhíor a ndúirt a athair. Is cinnte go mbeadh sé ansin go dtí go n-éireodh sé dorcha, agus faoin am sin bheadh beithígh allta eile sa choill, cait agus mic tíre.

"Ní thig liom fanacht anseo i bhfad eile. Tá an ghéag seo ag dul a bhriseadh," a scairt Airne. "Tá mé ag dul anonn chugat."

"Ná déan! Fan san áit a bhfuil tú. Ná gabh síos!" Shamhlaigh Peilí Airne ag teacht anall chuige agus an torc ag breith uirthi.

"Níl rún agam dul síos. Bhí mé ag dul a dhreapadh trí bharra na gcrann. Tá siad uilig buailte le chéile."

Ní thiocfadh le Peilí a dheirfiúr a fheiceáil ach bhí sé ábalta an crann caol cnónna a dhreap sí a fheiceáil, crann a d'fhás faoi scáth dhá chrann ar a raibh géaga troma ag síneadh amach ar gach taobh. Tháinig crith ar dhuilleoga an chrainn cnónna agus bhí siad socair arís. Ina dhiaidh sin, d'aithin Peilí ar luascadh na ngéag go raibh Airne ag bogadh trí bharra na gcrann.

Agus ansin stad gach bogadh. Bhí gach rud ciúin ach amháin an torc ag gnúsachtach agus é ag cuardach cruimheanna agus cuiteog i measc na nduilleog. Ó am go ham, stad sé le boladh a baint as an aer. Tá sé ag coinneáil súil ghéar orainn, dar le Peilí. Bhí idir mhífhoighne agus imní ag teacht air - cé nár mhaith leis sin a admháil. "Cá bhfuil tú anois?" ar seisean.

"Thuas anseo." Bhí aghaidh Airne ag amharc amach ó ghéag dhuilleach os a chionn. Luasc sí anuas chuige. "An íosfaidh tú cúpla cnó?" Scaoil sí roinnt acu óna mála isteach ina lámh.

Chaith Airne dornán blaosc ar an torc agus rinne sí gáire nuair a chas sé thart agus é ag sceamhlach. Bhí sí dána anois agus an torc thíos fúithi, gan é ábalta breith uirthi.

"Ná déan!" Rug Peilí greim sciatháin uirthi. "Níl maith ar bith ansin. Táimid ag iarraidh go ndéanfaidh sé dearmad dínn agus imeacht."

"Maith go leor," ar sise de ghearán. "Ach cad chuige nach dtig linne imeacht ón torc?"

"Ní ligfeadh sé dúinn. Mharódh sé muid dá mbéarfadh sé orainn!"

"Ach cad chuige nach dtig linn dul amach go himeall na coille an dóigh ar tháinig mise anall chugatsa?"

"Trí bharra na gcrann?"

"Cad é eile?"

"Ní thiocfadh linn dul an bealach ar fad. Caithfidh sé go bhfuil bearnaí ann."

"B'fhéidir. Ach b'fhearr liom sin a thriail ná suí anseo ag fanacht le teacht na hoíche. Agus b'fhéidir nach n-imeodh sé ansin féin."

Bhí Peilí ag stánadh ar a dheirfiúr. Níorbh í seo an ghirseach bheag eaglach a bhí ag gearán faoin fhuacht agus faoin ocras. Bhí Airne ar a suaimhneas sna crainn.

"Seo leat," ar sise, agus d'éirigh sí ina seasamh. Rinne sí draothadh beag gáire leis, agus i dtobainne, bhí a fhios aige go n-éireodh leo an fhadhb a reiteach le chéile. Fiú má bhí siad fágtha leo féin, ní raibh deireadh leo go fóill.

Caibidil a Ceathair

Agus iad ag breathnú síos thug Peilí rabhadh uaidh. "Cuimhnigh nach ag iarraidh muid a scanrú amháin a bhí m'athair nuair a d'inis sé dúinn faoin chontúirt a bhaineann leis an torc."

Chuaigh starrfhiacla an ainmhí i bhfostú i bhfréamh crainn dhá uair. Bhúir sé go feargach agus é ag súisteáil leis go dtí go raibh sé saor. Bhí sé ina luí ar a bholg ar an chréafóg anois, a chloigeann leagtha ar a chosa tosaigh. Bhí a shúile druidte, ach ba mhaith a bhí a fhios ag Peilí nach ina chodladh a bhí sé. Ó am go ham, phreab a shrón fhada, chas sé a chluas agus rinne sé gnúsacht.

"Caithfimid bheith ciúin nó leanfaidh sé muid."

"Ná bíodh gíog ná míog asainn," arsa Airne. Rug sí ar ghéag láidir agus d'imigh sí as radharc i measc na nduilleog.

D'fhan Peilí go dtí go bhfaca sé bogadh beag sa chéad chrann eile, agus lean sé í. Roghnaigh sé géaga a ghlacfadh a mheáchan agus shiúil sé orthu ar lorg a thaoibh, ag baint taca as aon rud a bhí thart air.

Chuaigh siad ó chrann go crann gan baint den

talamh go dtí go raibh siad ar imeall na coille, ach ní raibh mórán crann anseo. An raibh an torc ina chodladh go fóill faoin chéad chrann, nó an raibh sé á leanúint go ciúin ar an talamh?

"Stad," a deir Airne i dtobainne. Is beag nár bhuail Peilí isteach inti.

"Cad é atá cearr?" ar seisean go neirbhíseach.

Dhírigh sí a méar ar an chéad chrann eile. Bhí sé níos lú ná na cinn eile a thrasnaigh siad. Bhí a ghéaga tanaí. B'fhéidir go nglacfadh siad meáchan Airne, ach thitfeadh Peilí go talamh de phlimp.

Cá raibh an torc? Chlaon Peilí chun tosaigh, ag iarraidh an talamh a fheiceáil tríd na duilleoga. D'fhéadfadh an beithíoch bheith áit ar bith thíos ansin, agus ní bheadh a fhios acu go dtí go mbeadh sé rómhall.

Dhreap sé síos go dtí an chéad ghéag eile. D'ardaigh feochán gaoithe dornán duilleog marbh, chas bun os cionn iad agus lig anuas arís ar an talamh thais iad. D'fhan sé. Bhí tost iomlán ann. Níor bhog rud ar bith. Lig sé é féin síos ar ghéag eile, gan rud ar bith eile idir é agus an talamh.

Cá fhad a bhí an chéad chrann mór eile uaidh? Tríocha céim nó cúig cinn déag is fiche? Bhog ceann de na géaga ab airde. Bhí Airne ansin cheana féin. Le neart a dhá sciathán b'fhurasta aici í féin a tharraingt anonn.

D'amharc Peilí síos arís ar an talamh. Ar chóir dó léim síos agus imeacht ina rith trasna? Má bhí an torc i ndiaidh iad a leanúint, chluinfeadh sé é.

Arbh fearr dó fanacht ciúin san áit a raibh sé? Cá rachadh sé i bhfolach dá dtiocfadh an torc air sula sroichfeadh sé an chéad chrann eile? Bhí carraig mhór ar imeall na coille, a bhí beagnach dofheicthe, clúdaithe ag géaga. Dá sínfeadh sé a lámha in airde, bheadh sé ábalta an barr a bhaint amach, agus ba chuidiú dó na géaga. Ach dá mbéarfadh an torc air roimhe sin?

Dá mhéad a smaoinigh Peilí ar an cheist, b'amhlaidh ba mhó eagla a bhí air dídean an chrainn a fhágáil, ach ní thiocfadh leis fanacht ann go deo. B'fhéidir go raibh an torc ar shiúl leis. D'amharc sé thart uair amháin eile, tharraing anáil dhomhain uair nó dhó, agus shleamhnaigh go ciúin síos ar an talamh. D'éalaigh sé amach i dtreo an chrainn, agus chuaigh bealach timpeall a thabharfadh thar an charraig é.

Ní raibh sé leath bealaigh anonn nuair a chuala sé scread rabhaidh Airne. "Sin chugat é, a Pheilí! Coimhéad!"

Rinne Peilí caol díreach ar an charraig, ach thug an torc rúid trasna chomh gasta sin go raibh a fhios ag Peilí go mbéarfadh sé air. Bhí an bhearna eatarthu ag druidim go mear nuair a rith rud mór dubh amach as na crainn agus chuaigh i bhfostú i gcluas an toirc. Mac tíre leathfhásta a tháinig ón spéir i dtarrtháil air!

Scréach an torc agus chroith é féin thart timpeall nó go raibh sé saor, rud a thug deis ar éigean do Pheilí dreapadh go barr na carraige. Ar a chúl, chas an torc thart agus thug faoina namhaid. Bhí an mac tíre i gcúngach in éadan na carraige agus léim sé in airde in aice le Peilí, ach le méid a dheifre ní thiocfadh leis an torc stad. Bhuail sé a chloigeann ar an charraig, agus rinne smionagar de cheann dá starrfhiacla. Thit sé siar ar lorg a chúil, chroith a chloigeann san aer, agus é ag screadach le pian.

Ar feadh tamaillín, d'fhan an gasúr agus an mac tíre gan bhogadh. D'amharc an gasúr isteach i súile liathdhonna an mhic tíre. Ba é a shábháil a bheo. Shín sé amach a lámh. Ach chuir an mac tíre cár air féin, léim síos ar chúl na carraige agus d'imigh as radharc.

Bhí an torc ag croitheadh a chinn go fóill nuair a d'imigh sé leis sa treo eile.

Ní raibh Peilí in ann bogadh. D'fhan sé ar an charraig go dtí gur chuala sé guth Airne ag teacht ón chrann.

"Cad é a bhí ann?" ar sise.

"Mac tíre - sílim." Ar éigean a chreid sé an méid a bhí sé a rá. "Ach cá bhfuil an torc? An bhfuil sé sábháilte dul síos?"

"D'imigh sé. Feicim ar an aill os cionn na habhann é." Chualathas siosarnach agus thuirling sí ar an talamh taobh le carraig Pheilí. "Seo leat. Nílimid i bhfad ón uaimh. Agus ní chaithfimid dul trí bharra na gcrann a thuilleadh."

Shleamhnaigh Peilí anuas ón charraig. Bhí crith ina chosa, agus rug sé greim láimhe ar Airne agus iad ag deifriú amach as an choill agus suas an cosán.

"An mac tíre a bhí ann?" a d'fhiafraigh sí agus gan anáil inti.

"Ceann óg baineann. Shábháil sí mo bheo. Ach ab é gur thug sí faoi, bheinn i ngreim ag an torc."

"B'fhéidir go ndéanfadh sí ionsaí orainne an chéad uair eile! Tá na mic tíre contúirteach, tá a fhios agat."

"Ach níl siad chomh contúirteach leis an torc sin." Bhí Peilí cinnte den mhéid sin. "Tá siad sin iontach contúirteach. Mura gceapaimid é, luath nó mall, ceapfaidh seisean muidne. Agus déarfainn go mbeadh blas ar dóigh air."

Nuair a bhí siad ar ais san uaimh, shuigh Peilí agus Airne thart faoin tine, ag cnagadh cnónna, agus ag comhrá faoin mhac tíre. "An cuimhin leat an mac tíre sin dhá shamhradh ó shin?" a d'fhiafraigh Peilí. "Bhí sé i gcuideachta cúpla fear ón ghleann in aice linn."

Chlaon Airne a ceann. "Ní raibh dúil ar bith aige ionainn."

"Ní raibh dúil aige in aon duine - ach ina mhuintir féin - ach dúradh go raibh sé go maith ag seilg. Níl a fhios agam an gcuideodh an mac tíre sin linne seilg?"

"Muidne a sheilg is dócha a dhéanfadh sí!" arsa Airne.

Bhí a fhios sin ag Peilí nach raibh dúil aici sna mic tíre, ach ní ise a bhí taobh leis an cheann seo, ach eisean. "Ar scor ar bith," ar seisean ag athrú ábhar an chomhrá, "cad é a dhéanfaimid faoin torc?" Dá mbeadh a fhios aici cad é a bhí ar a intinn - gur mhaith leis an mac tíre a fheiceáil arís - dhéanfadh sí scéal mór de.

"Ceapfaimid é mar a cheap muid an béar," arsa Airne.

"Bheadh orainn an ghaiste a dheisiú ar dtús. Tá an dá thaobh tite isteach. Bheadh orainn adhmad a ghearradh fosta le cur trasna ar an bharr."

"Thiocfadh linn sin a dhéanamh."

"Ní fiú. Thógfadh sé an lá ar fad orainn. Chluinfeadh an torc muid agus b'fhéidir nach mbeadh an t-ádh céanna linn an chéad uair eile." Agus ní bheadh mac tíre ag teacht i dtarrtháil orainn, a smaoinigh sé, agus é ag corraí na tine le bata. Nuair a d'éirigh sí ina bladhaire, chuaigh sé ní ba dhoimhne isteach san uaimh agus las sé lóchrann beag.

"Cad é atá tú a dhéanamh?" a d'fhiafraigh Airne. D'éirigh sí ina seasamh agus lean é go bacach.

"Tá mé ag déanamh an ruda a dhéanann m'athair sula dtéann sé a sheilg." Tháinig macalla a ghlóir ar ais chuig Peilí ó na ballaí cloiche.

Thóg Peilí babhla cloiche anuas ón tseilf ina gcoinníodh a athair a uirlisí oibre agus cogaidh, na rudaí ba luachmhaire dá raibh acu. Tháinig uafás ar Airne. "Ná bí buartha," ar seisean. "Beidh sé de dhíth orainn, agus cuirfidh mé ar ais ar ball é."

Ó thosaigh an fhearthainn, bhí braon anuas trí pholl in aice le béal na huaimhe. Chuir Peilí an babhla faoi. Nuair a bhí sé lán, shiúil sé ar ais isteach san uaimh leis. "A haon, a dó, a trí, a ceathair..." Chuntais sé na céimeanna ar a mhéara go dtí gur bhain sé an deich amach, agus deich gcinn eile ina dhiaidh sin agus ansin stad sé. San áit seo, rinneadh dhá thollán den uaimh agus bhí an díon an-íseal os a gcionn.

Thug a athair Peilí anseo uair amháin roimhe. Chuaigh siad a lámhacán ar a mbolg tríd cheann amháin de na tolláin. Is beag nár thacht an deannach a thóg siad é, agus bhí eagla a bháis air go dtitfeadh an díon anuas sa mhullach orthu. Níos moille, chuir sé a sáith eagla ar Airne agus é ag insint di faoin eachtra.

"An gcaithfimid dul isteach ansin?" arsa Airne, agus greim aici ar éadaí Pheilí.

"Caithfidh, leoga. Ná bíodh eagla ort. Ach, fan san áit a bhfuil tú, más maith leat." Bhí misneach áirithe i bPeilí nó bhí a fhios aige cad é a bhí ar an taobh eile, ach go raibh eagla a chroí air dul ar aghaidh leis féin.

"An bhfuil tú ag teacht? Ní thig liom fanacht níos faide," ar seisean léi. Ag coinneáil an lóchrainn amach roimhe, agus an babhla go daingean sa lámh eile aige, thosaigh sé a lámhacán. Lean Airne chomh cóngarach sin sna sála air gur minic a chuimil a méara á chosa.

Bhí an tollán lán toite ón lóchrann. Ní raibh bealach éalaithe ag an toit agus laghdaigh sí an solas go dtí nárbh fhiú é. "Ní thig liom... dul níos faide." Bhí glór lag Airne ar a chúl.

"Beagán eile, sin an méid," arsa Peilí, á gríosú, agus gan a fhios aige cad chuige a raibh sé ní b'fhaide anois ná mar ba chuimhin leis. B'fhéidir gur faide leis anois é cionn is gur minic a bhíodh a athair anseo agus go mbogadh seisean níos gasta.

Nó - arbh fhéidir gur phioc sé an tollán contráilte? Chuala sé iomrá ar uaimheanna ina raibh poill dhoimhne. Stad sé, chuir uaidh an babhla agus thosaigh sé a scríobadh ar dheannach an urláir agus crith ina mhéara. Bhí an chuid sin daingean, dar leis. Bhrúigh sé an babhla chun tosaigh, chuaigh a lámhacán leis agus a scríobadh tuilleadh. Thit cuid den tsaill ón lóchrann ar a sciathán. Tharraing sé siar, tharraing anáil ghéar le pian, agus Airne ag caoineadh ar a chúl. Ach b'éigean dó dul ar aghaidh.

Ní raibh Peilí i ndiaidh bogadh ní b'fhaide ná fad a choirp féin nuair a d'éirigh bladhaire an lóchrainn níos gile. D'éirigh an mhúch toite níos tanaí. Bhí anáil aeir ag teacht chucu as áit éigin, agus bhí sé ábalta a cheann a ardú gan é a chnagadh ar an charraig os a chionn. Chuir sé a lámh in airde. Faic. D'éirigh sé aníos ar a chosa, ag scairteadh, "Táimid ann!"

Bhí macalla ghlór Pheilí ar fud seomra ina raibh díon ard. Bhí a lóchrann ag soilsiú na mballaí, ach bhí scáil á caitheamh thar chuid den tsíleáil.

"Cad é sin?" arsa Airne le heagla.

Bhí bíosún ag rith thar bhalla na huaimhe, sealgaire sa tóir air agus sleá ina lámh aige. Bhí torc allta ar sodar thar charraig, a starrfhiacla cuaracha ag bagairt. Bhí trí fhia ag léim thar an cheathrú fia. Bhí capaill ag imeacht ar cosa in airde i bhfolach sna scáileanna. Bhí siad uilig ag gluaiseacht, dar leat, i lasair na mbladhairí. Chúlaigh Airne, agus í scanraithe go maith.

"Ná bíodh eagla ort. Ní fíorainmhithe iad. Seo

leat go bhfeicfidh tú." Rug Peilí greim láimhe uirthi. Lean sí go drogallach é, a cloigeann tiontaithe ó na hainmhithe scáfara.

"Amharc orthu," ar seisean i gcogar, é ag cuimhneamh ar an chéad uair a chonaic sé féin iad.

Tháinig Airne amach ó chúl a dhroma. "Cad iad? Cá has ar tháinig siad?"

"M'athair a rinne an t-iomlán, seachas an ceann sin." Dhírigh sé a mhéar ar ainmhí a raibh cruth cait air ach a raibh ceann ollmhór air agus dhá starrfhiacail aige. Bhí sé leath i bhfolach i gcúinne dorcha. "Bhí sé sin ann sular tháinig muidne. Tá sé an-aosta agus is léir gur thit giotaí de." Thaispeáin sé di na bearnaí san imlíne, áit ar thit cuid den charraig agus ar thug sí an dath léi.

"Cad chuige a bhfuil siad ann?" arsa Airne agus a súile ar leathadh.

"Le cuidiú linn seilg mhaith a bheith againn. Sin an chúis a bhfuilimid anseo. Má dhéanaimse pictiúr toirc ar an bhalla seo, is cinnte go bhfaighimid ceann acu sula mbeire ceann acu orainn." D'amharc Peilí ar an fhia a phéinteáil a athair roimh an tseilg dheiridh. Ba bhreá an pictiúr é, ach sheilg tuismitheoirí Pheilí an fia sin ar feadh fada go leor agus ba mhinic a tháinig siad ar ais folamh.

Fág uait na smaointe sin, arsa Peilí go feargach

leis féin. D'fhág sé Airne ag stánadh ar an bhalla phéinteáilte, agus chuaigh sé siar a chuardach an bhabhla a bhí fágtha ag an tollán aige. Ina suí ar sheilf chúng, bhí trí mholl cré - dearg, bán, agus dubh. Thóg Peilí lán a láimhe den chré dhubh agus chorraigh sé isteach san uisce le bata í, go dtí go raibh taos tiubh déanta aige.

"An bhfuil tú ag dul a dhéanamh toirc go díreach mar a rinne m'athair é?" a d'fhiafraigh Airne.

Bhí an babhla i lámh amháin ag Peilí agus an bata sa lámh eile. Stad sé ar feadh tamaill. Thiocfadh leis an torc a tharraingt, ach an ndéanfadh sé maith ar bith? Nuair a tharraing a athair an fia, níor éirigh leis. B'fhéidir nach ndearna sé mar ba cheart é. Cén dóigh a dtiocfadh leo an torc seo a sheilg? Ní bhfaigheadh siad go deo le sleá é. Bhí sé róghasta agus róláidir. Ní raibh a fhios acu cá raibh sé fiú.

Dúirt a athair leis, ar an ábhar go raibh an torc cliste, gasta agus foighneach, gurbh é an t-ainmhí é ba dheacra a sheilg. "Má dhéanaim pictiúr de á mharú le sleá, ní fiú é, mar ní bheadh an bheirt againn le chéile láidir go leor," arsa Peilí go smaointeach. "Caithfidh mé pictiúr a dhéanamh de rud éigin a thig linne a dhéanamh."

"An cuimhin leat an uair sin a raibh muid thuas sa chrann agus é thíos fúinn?"

"Ach is sa tóir orainne a bhí sé an t-am sin," arsa Peilí.

"Agus nár bhuail sé isteach sa charraig?"

"Bhuail. Sin an uair dheireanach a chonaic muid é."

"Ní hea. Nach cuimhin leat? D'inis mé duit go bhfaca mé ina dhiaidh sin é ar an aill os cionn na habhann."

"Is fíor duit. Dá mbeinn le pictiúr a tharraingt de agus é ar an aill, b'fhéidir go gcuideodh sé sin linn teacht air." Thum Peilí an bata sa bhabhla agus tharraing dhá líne - ceann trasna agus ceann síos. "Sin barr na haille. Anois, an torc."

Caibidil a Cúig

Nuair a chríochnaigh Peilí é, bhí an torc ina sheasamh agus a dhroim le bruach na haille. Bhí beirt shealgairí roimhe, duine acu níos mó ná an duine eile.

"An sin mise?" a d'fhiafraigh Airne, agus í ag díriú méire ar an duine ba lú acu.

"Is ea." Tharraing Peilí líne suas as lámh an tsealgaire bhig. "Agus sin an lóchrann."

Chlaon Airne a ceann. "Cuir lóchrann sa lámh eile, fosta. An tine an t-aon rud amháin a chuireann eagla ar na toirc allta."

"Smaoineamh maith." Tharraing Peilí líne eile.

"Agus cad é faoina fhiacail bhriste?"

Chuir Peilí strainc air féin agus a bhata thart faoi cheann an toirc. Bhí an cloigeann dubh cheana féin aige. Dá dtarraingeodh sé an starrfhiacail, dubh ar dhubh, ní fheicfeadh aon duine é. Agus chaithfeadh gach rud bheith i gceart, nó ní oibreodh an draíocht.

D'imigh an strainc de. Leag sé uaidh an babhla agus an bata. Chruinnigh sé lán a bhéil de sheile, chaith amach ina lámh í agus chuir gráinne de chré dhearg léi. Lena mhéar, chuimil sé an dath dearg ar bhéal an toirc. "Anois! Sin an starrfhiacail a bhris sé." Sheas sé siar, agus é breá sásta leis féin, agus ansin shín sé in airde agus smear tuilleadh den dearg ar chluas an toirc. "Agus sin an áit ar aimsigh an mac tíre é."

"An sin é?" Bhí Airne ina suí le scíth a thabhairt dá cos. Bhí sí tuirseach.

"Rud amháin eile," arsa Peilí. Thóg sé aníos an lóchrann, agus chuaigh isteach i gcoirnéal sna scáileanna. Streachail Airne ina seasamh agus lean é. Faoi sholas an lóchrainn bhí moll seithí ainmhithe le feiceáil. Rug Peilí ar choirnéal de agus d'ardaigh é. Thíos faoi, bhí carn de chnámha geala.

"Cad é atá ann?" arsa Airne agus creathán ag dul tríthi.

"Beir greim air seo." Thug Peilí an lóchrann di agus thóg sé aníos cloigeann toirc.

"Cad chuige a bhfuil sin de dhíth ort?"

"Feicfidh tú. Caithfidh mise seo a iompar. Gabh thusa ar dtús agus iompair an lóchrann. Ar aghaidh leat."

Ní raibh Airne ag iarraidh dul siar tríd an tollán. Bhí cuimhne go fóill aici gur mhothaigh sí an sliabh ag teannadh anuas ar a corp. Ní thiocfadh léi an toit phlúchta a chur amach as a ceann.

"Níl mé ag iarraidh dul isteach ansin arís," ar sise, go caointeach. "Dá mbeimis greamaithe i lár báire! Gheobhaimis bás ann."

"Gheobhaimid bás anseo mura dtéimid isteach arís," arsa Peilí, ag iarraidh ciall a chur inti.

"Agus nach bhfuil bealach ar bith eile amach as?"

Ar feadh nóiméid, smaoinigh Peilí ar an aer úr a tháinig isteach sa chuid seo den uaimh. Aer a mhothaigh sé nuair a bhí sé anseo roimhe agus a raibh rún aige ceist a chur ar a athair fá dtaobh de. Bhí sé rómhall anois. "Níl, níl aon bhealach eile amach."

Thiontaigh Airne uaidh. D'ardaigh sí an lóchrann san aer agus chuaigh a lámhacán i dtreo an dorchadais a bhí i mbéal an tolláin.

Agus an lóchrann sínte amach roimpi, lúb sí léi chun tosaigh ar a bolg. Bhí sé níos fusa anáil a tharraingt gan cosa Pheilí ag corraí an dusta ina haghaidh agus rinne sí iarracht dearmad a dhéanamh den sliabh os a cionn.

"Táimid chóir a bheith ann, a Pheilí!" a scairt sí amach sa deireadh. Bhí solas ag teacht ón taobh amuigh agus ba léir di cruth na gcarraigeacha. "A Pheilí?"

Níor fhreagair sé. Shleamhnaigh Airne tríd an oscailt, d'éirigh ina seasamh, agus thiontaigh thart.

"A Pheilí!" Scairt sí isteach sa tollán. Freagra ar bith fós. Cad é a tharla? Ní féidir go raibh sé i bhfostú! Chaithfeadh sí dul siar. Bhrúigh sí an lóchrann amach roimpi, agus chuaigh a lámhacán arís isteach sa tollán, á tarraingt féin ar a huillinneacha.

Mheas sí go raibh sí leath bealaigh isteach sa tollán nuair a shíl sí gur chuala sí Peilí ag scairteadh.

"A Airne?" Stad sí. Bhí a ghlór chomh lag sin. "A Airne?" Chuala sí arís é.

"A Pheilí! Cá bhfuil tú?"

"Anseo, ach tá mé i bhfostú. Craiceann an toirc is ciontaí. Chuaigh sé i bhfostú ar dhóigh éigin sa chloigeann."

"Gabh siar, mar sin."

"Ní thig liom sin a dhéanamh ach oiread. Tá sé gafa."

Chuaigh Airne a lúbarnaíl chun tosaigh tamall gairid agus mhothaigh sí í féin ag baint de phaiste fionnaidh. Craiceann an toirc. Stróic sí agus tharraing sí é agus Peilí ag brú ón taobh eile. Bhog sé rud beag, agus ansin chuaigh i bhfostú arís i rud éigin thuas faoin díon. Chuimil sí a méara faoi na himill, agus mhothaigh an chnámh taobh istigh den chraiceann.

"Lig de," ar sise, agus í ag scríobadh na créafóige ar shiúl ón taobh thíos. Rug sí greim ar an chloigeann thuas in aice leis an díon agus streachail sí ó thaobh go taobh é. Tháinig sé léi i dtobainne, mhúch sé an lóchrann agus d'fhág sa dorchadas í.

Turas fadálach scáfar siar a rinne Airne, í ag lúbarnaíl ar gcúl agus ag tarraingt an chraicinn agus an chloiginn agus Peilí á mbrú. D'fhéadfadh sé dul i bhfostú arís am ar bith. Choinnigh Airne a súile druidte agus chuir i gcéill nach raibh sé dorcha dáiríre. Níor oscail sí iad go dtí nach dtiocfadh léi baint den charraig os a cionn.

"Tá mé amuigh," a scairt sí. Mhothaigh Peilí an burla á tharraingt uaidh agus an t-aer úr agus solas an lae ag cruinniú isteach. Streachail sé é féin amach agus d'éirigh ina sheasamh taobh léi.

"Beidh sé dorcha ar ball," arsa Peilí, agus leag sé an cloigeann ar chloch in aice leis an tine agus an craiceann thairis sa dóigh go raibh na cosa crochta san áit cheart. Bhí cuma bheo air!

"Cad é a dhéanfaimid leis?"

"Damhsa na seilge, ar ndóigh - nuair a éireoidh sé dorcha. Cuideoidh sé linn breith ar an torc."

Caibidil a Sé

"Tá sé sin nimhneach!" Lig Peilí scread as agus Airne ag iarraidh cloigeann an toirc a chothromú ar a chloigeann.

"Fan! Gheobhaidh mé rud éigin a chuirfidh stad leis an phian." Phioc sí ceithre dhuilleog mhóra, bhoga de chrann in aice leis an uaimh agus chuir sí iad sna háiteanna a raibh na cnámha géar. "An fearr mar sin é?"

"Sílim é." Níor mhian le Peilí a cheann a chlaonadh, ar eagla go dtitfeadh an cloigeann de. "Cuirfimid an craiceann faoi. Cuideoidh sé lena choinneáil ina áit." Chuaigh Peilí ar a ghogaide agus chuir Airne an craiceann thart air agus chuir an cloigeann ar ais ar a cheann.

Le dhá chos crochta anuas chun tosaigh agus dhá cheann ar a chúl, agus na starrfhiacla ina gcuar amach ó dhá thaobh an ghéill, bhí Peilí díreach cosúil le torc allta! Faoi sholas na tine, agus an dorchadas ag druidim isteach orthu, ba scáfar an radharc é. Agus ba mheasa arís é nuair a luasc sé a ghuaillí agus chas sé thart bealach amháin agus bealach eile, é ag

51

screadaíl agus ag croitheadh a chinn.

Chuaigh Peilí ar sodar timpeall na tine, isteach agus amach sna scáileanna, ag déanamh an damhsa seilge a chonaic sé a athair a dhéanamh. Díreach ansin, léim rud éigin amach as taobh thall de sholas na tine, ag drannadh agus ag stróiceadh chraiceann an toirc.

"Mac tíre!" Lig Airne scread aisti.

Roll Peilí siar, lig sé don craiceann titim agus is beag nár thit sé le binn agus é ag teitheadh a fhad lena dheirfiúr. Choimhéad siad an mac tíre ag stróiceadh an chraicinn, ag réabadh amach lán a béil den fhionnadh.

Rug Airne ar bhata loiscneach ón tine agus bhagair ar an mhac tíre é. Chúlaigh sí cúpla céim, ach bhí líne fionnaidh ina seasamh fós ar a cnámh droma agus a cluasa ina luí in éadan a cinn.

Rug Peilí ar sciathán Airne agus í ag ardú an bhata arís. "Ná déan," ar seisean. "Coimhéad."

D'ardaigh an mac tíre a ceann, agus bhí an gasúr agus an mac tíre ag stánadh isteach sna súile ar a chéile don dara huair. I ndiaidh tamaill fhada d'ísligh an mac tíre a súile, thiontaigh sí agus d'imigh ar sodar isteach sna sceacha.

"Ag iarraidh craiceann marbh toirc a mharú a bhí sí!" Ó tharla go raibh an mac tíre ar shiúl, rinne Airne gáire.

"B'fhéidir gur ag iarraidh rud éigin a insint dúinn a bhí sí," arsa Peilí.

"Bhuel, tá mo sháith agamsa de mhic tíre agus de dhamhsaí seilge." Bhailigh Airne an craiceann agus an cloigeann agus shuigh cois na tine. "Tá ocras orm."

"Tá mise bréan de na cnónna," arsa Peilí agus é ag

cnagadh cúpla ceann acu in éadan cloiche. "Feoil atá de dhíth orm." Bhí sé ag cogaint na gcnónna go mall nuair a rith smaoineamh eile leis. "Tá trua agam don mhac tíre sin. An bhfaca tú chomh lom cnámhach léi? Bhí cuma uirthi nár ith sí a dhath le tamall de laethanta."

"Ba bhreá léi muidne a ithe!" Bhreathnaigh Airne thar a gualainn i dtreo na scáileanna. "B'fhéidir go dtiocfadh sí nuair a bheimid inár gcodladh agus an tine as."

"Ní shílim go ngortódh sí muid."

"Nár ghoid sí cnámha na gcoiníní uainn!"

"Sin scéal eile. Ach, má tá eagla ort, déanfaimid sealaíocht ag faire. Codail thusa ar feadh tamaill ar dtús."

"An bhfanfaidh tusa múscailte ag coimhéad na tine?"

"Fanfaidh, ar ndóigh."

D'fháisc Airne a craiceann béir thart timpeall uirthi, agus rinne ceirtlín di féin in aice leis na bladhairí. Ba ghairid gur éirigh a hanálú mall agus tomhaiste. Bhí sí ina cnap codlata.

I ndiaidh ar tharla an lá sin, bhí Peilí traochta fosta. Bhí eagla air luí sa teas ná bheith sócúlach, agus chuir sé cúpla cipín isteach sa tine agus luigh sé siar in éadan carraige. Le fanacht múscailte, thug sé air féin stánadh ar an tine, agus ansin ar na scáileanna, san áit ar imigh an mac tíre as radharc.

Tháinig siorradh fuar aeir a chur crith ina sciatháin nochta. Shleamhnaigh sé níos ísle agus dhruid a shúile in éadan na toite a bhí ag teacht ina threo. Chlaon a cheann ar leataobh agus an t-am seo, d'fhan a shúile druidte.

Trína bhrionglóidí, bhí Peilí i ndiaidh dul suas an cnoc ón choill. Bhí an sneachta ina bhrat ar an talamh oscailte agus ar na crainn. Bhí scata mór strainséirí ina suí timpeall na tine agus ní raibh spás ann do Pheilí. D'fhan sé ar a ghogaide sna scáileanna, ar crith leis an fhuacht. Tháinig bean ina threo ar a lámha agus a glúine. Chlúdaigh sí é le fionnadh agus thug in aice na tine é. D'éirigh sé ní ba theo, ach bhí gualainn amháin nach raibh clúdaithe ag an fhionnadh, agus ina bhrionglóid, tharraing sé aníos faoina mhuineál é.

D'oscail súile Pheilí de phreab. Dranntán bagrach a mhúscail é. Bhí an mac tíre ina luí taobh leis, gan ach leithead láimhe idir a soc agus a fiacla nochta agus a aghaidh féin. Bhí a mhéara ag fíorú a bhrionglóide agus ag tarraingt ar an fhionnadh thiubh a bhí timpeall a muiníl.

Tharraing Peilí a lámh uaithi go faichilleach. Aon bhogadh tobann agus b'fhéidir go léimfeadh sí. Stán an mac tíre air, chaoch a súile ansin agus ansin leag a cloigeann ar a ghualainn.

Bhí eanglach i sciathán Pheilí le meáchan an mhic tíre ag brú síos air. Bhí sé ag iarraidh é a tharraingt uaidh, ach bhí eagla air. Mhothaigh sé a heasnacha in éadan a easnacha féin, trína cóta fionnaidh. Chomh lom tanaí léi! Go faichilleach, lig sé dá lámh dul a fhad léi agus baint don fhionnadh gharbh ar a gualainn - níor bhog sí - ansin suas go dtína cluasa, a bhí bog faoina chuid mhéar. Theann sí agus nocht a cuid fiacla, ach ní dhearna sí drann. Mhoilligh sé, agus ansin lean sé de bheith ag slíocadh na gcluas.

"Ná bíodh eagla ort, tá tú maith go leor," a deir sé i gcogar, arís agus arís eile. "Mise do chara." De réir a chéile, d'imigh an teannas agus rinne an mac tíre óg osna agus dhruid a súile. Agus chuaigh Peilí a chodladh fosta.

Bhí sé ina lá nuair a mhúscail sé arís. Bhí an mac tíre imithe. Shuigh Peilí suas, fuar agus righin. Mhothaigh sé go raibh rud an-luachmhar caillte aige. Ar chuid dá bhrionglóid í an mac tíre? Chuimil sé a chliabh san áit ar chuimhin leis í bheith ina luí air. Ghreamaigh ribí garbha fionnaidh dá lámh. Ní brionglóid a bhí ann!

Brosna úr á chaitheamh ar an tine a mhúscail

Airne. "An síleann tú nach bhfuil mé mór go leor le faire a dhéanamh?" ar sise ag gearán.

"Ní shílim."

"Cad chuige nár mhúscail tú mé? Tá codladh de dhíth ortsa fosta, má táimid leis an torc sin a fháil inniu." D'amharc sí go hamhrasach air. "Bhí tú i do chodladh! Sin an fáth nár mhúscail tú mé."

Chrom Peilí a cheann go faiteach agus chorraigh sé an tine.

"Ní chuirfidh mé muinín ionat arís!" a scairt Airne. "Tá an t-ádh dearg orainn nár tháinig an mac tíre. Tú féin a dúirt go raibh sí ocrach."

"Tháinig sí."

"D'fhéadfadh sí muid a mharú!"

"Bhuel, níor mharaigh. Tháinig sí agus luigh sí taobh liom. Choinnigh sí te mé."

"Agus cá bhfuil sí anois?" a d'fhiafraigh Airne.

Chroith Peilí a ghuaillí. "Níl a fhios agam. Nuair a mhúscail mé, bhí sí imithe. Déan dearmad di, cibé. Caithfimid dul isteach sa choill a chuardach an toirc."

Bhain sé tamall astu ullmhú don tseilg. Chuardaigh Airne tríd an stór cloch gearrtha. "Cinn ghéara atá de dhíth. Bíonn craiceann righin ar na muca."

"Tabhair dom iad go bhfeicfidh mé." Scrúdaigh Peilí an ceathrar a bhí roghnaithe aici. Thástáil sé gach scealp cloiche, an chuid chuarach ina bhos. Tharraing sé an t-imeall géar trasna an chraicinn toirc a d'úsáid sé i ndamhsa na seilge. Ghearr trí cinn de na scealpa tríd an chraiceann gan stró. "Níl maith sa cheann seo," ar seisean, agus chaith an ceathrú ceann ar ais ar an charn. "Ní ghearrfainn mo mhéar léi."

"Seo an chuid is fearr dá bhfuil againn," arsa Airne. "Thug m'athair leis an chuid eile." Chuir sí na cinn mhaithe ina mála agus cheangail thart ar a coim é, chomh maith le craiceann fia lena coinneáil te.

Chuardaigh Peilí méaróga ar an talamh faoi bhéal na huaimhe le cur ina chrann tabhaill. Líon sé a sparán agus cheangail thart ar a choim é. Ansin, cheangail sé iallacha leath bealaigh trasna a dhá shleá. Ba é a athair a rinne na reanna le scealp cloiche agus a chruaigh sa tine iad. Bhí Peilí ag súil go mbeadh siad crua go leor le craiceann toirc a pholladh. Chuir sé ceann acu thar a ghualainn agus thug an ceann eile d'Airne. Ansin, thóg sé na ceithre lóchrann deiridh anuas ó sheilf ard istigh san uaimh.

"Ní thig linn an t-iomlán a thabhairt linn!" Bhí uafás ar Airne.

"Ar mhaith leat bheith sa choill agus gan tine

againn a chuirfeadh cúl ar an torc? Ní lasfaimid ach ceann amháin acu go dtí go n-aimseoimid an torc. Ansin, lasfaimid an chuid eile."

Bhí Peilí ag ligean air go raibh dearcadh dearfach aige, ach i gcúl a chinn bhí eagla air faoin rud a tharlódh dóibh mura gceapfadh siad an beithíoch agus é a mharú. Bhí sé ag éirí níos deacra teacht ar na cnónna, agus bhí feoil de dhíth orthu. Aghaidh chruinn, bheathaithe a bhíodh ar Airne, ach anois bhí sí ag éirí tanaí agus bhí paistí dubha faoina súile. Mura bhfaigheadh siad feoil roimh i bhfad, bheadh siad rólag le rud ar bith a cheapadh.

"Beir orthu seo." Thug Peilí dhá lóchrann d'Airne. Sháigh sé ceann eile isteach sa tine agus choinnigh ann é nó gur thosaigh an choirt a bhí lán saille a lasadh. "Seo leat." Síos an cosán leis i dtreo na coille.

Nuair a bhain siad na chéad chrainn amach, d'amharc Peilí siar. Bhí siad ag dul sa tóir ar ainmhí contúirteach a bheadh, b'fhéidir, sa tóir orthu siúd, i ndeireadh an lae. An bhfillfeadh siad choíche ar theas agus ar shábháilteacht na huaimhe? Stán sé isteach sna sceacha in aice na tine, ag dúil go bhfeicfeadh sé an mac tíre, ach níor chorraigh a dhath.

"Go ciúin," ar seisean le hAirne, agus thiontaigh sé agus chuaigh roimpi isteach trí na crainn.

Bhí ciúnas tábhachtach, ach bhí luas tábhachtach fosta. Bhí an toit ó lóchrann Pheilí ag imeacht trí na crainn ar a gcúl agus iad ag deifriú feadh chosáin na coille. Níor phléigh siad an bealach a thógfadh siad. Léirigh pictiúr na huaimhe an torc ar an aill, agus sin an bealach a rachadh siad. Tháinig siad amach as na crainn tuairim is fiche céim ó imeall na haille.

"Fan anseo," arsa Peilí i gcogar, agus thug a lóchrann lasta dá dheirfiúr. Chuaigh sé síos ar a bholg agus shleamhnaigh chun tosaigh go dtí go raibh sé ag amharc síos ar an abhainn. Bhí uisce buí, a bhí daite ag an chré, ag casadh thar charraigeacha, ag déanamh guairneán ina linnte doimhne. Thíos faoi, ar thrá ghainmheach, bhí moll carraigeacha a bhí i ndiaidh titim ón aill. Chúlaigh Peilí, imní air go dtitfeadh an talamh a raibh sé ina luí air, as a chéile fosta.

"A Pheilí!" a scread Airne.

Chas Peilí thart agus chonaic sé Airne, a droim in éadan crainn, an lóchrann lasta sínte amach fad a sciatháin uaithi. Díreach agus a shoc taobh leis an bhladhaire, bhí an mac tíre. Ba léir ar fhiacla nochta an ainmhí, ar a cluasa leata agus ar a fionnadh fiata, go raibh sí ar tí ionsaí a dhéanamh. Tháinig drannadh bagrach óna scornach.

"Fan socair, a Airne." D'éirigh Peilí ina sheasamh agus shiúil go fadálach i dtreo an mhic tíre, ag cuardach na bhfocal a labhair sé léi lena suaimhniú cois na tine.

Nuair nach raibh ach dhá choiscéim eatarthu, stad sé agus shín amach a lámh. "Ná bíodh eagla ort, a Chara," ar seisean. "Ná bíodh eagla ort."

Thiontaigh ceann an mhic tíre. Shíothlaigh an drannadh. Chuaigh Peilí a fhad le hAirne.

"Tá dhá namhaid anois againn," ar sise i gcogar, "an mac tíre agus an torc."

Chroith Peilí a cheann agus chuaigh ar a ghlúine. "Tá an ceann seo ag iarraidh bheith mór linn." Tháinig an mac tíre ar a bolg ionsair, agus bholaigh a lámh.

"Níl sí mór liomsa," arsa Airne go critheaglach.

"Beidh sí mór leat. Tabhair seans di."

Ach ní bhfuair siad seans. Chuala an mac tíre an tormán sna sceacha an uair chéanna a chuala Airne é, ach i bhfad sular chuala Peilí é. "Cad é atá ann?" ar seisean i gcogar nuair a phreab an mac tíre ina seasamh, ag stánadh isteach sa choill.

"An torc." Thiontaigh Airne chuige go himníoch. "An lasfaimid na lóchrainn eile?"

"Las ceann amháin acu."

Choinnigh Airne na lóchrainn, lasta agus neamhlasta, le chéile. Nuair a bhí an dara ceann ar bharr lasrach, chuir sí isteach i lámh Pheilí é. "Agus anois?" ar sise.

Bhí siad leo féin arís. Bhí an mac tíre i ndiaidh éalú léi isteach sna sceacha agus bhí gach rud ciúin.

Nuair a d'fhág siad an uaimh an mhaidin sin ní raibh barúil ag Peilí cad é mar a mharódh siad an torc. Ní raibh a fhios aige ach go gcaithfeadh siad an tseilg a thosú ag an aill. Ach, díreach ansin, ba léir dó an rud a chaithfeadh siad a dhéanamh.

"Caithfimid an torc a chur idir muid agus an aill. Ansin scanróimid é leis na lóchrainn agus titfidh sé le binn. Fiú mura maróidh an titim é, beidh sé gortaithe chomh dona sin go mbeimid ábalta é a mharú."

"An éireoidh leis sin?" Bhí amhras ar Airne.

"Nach cinnte go n-éireoidh!" Labhair Peilí go muiníneach, ach bhí a fhios aige go raibh draíocht a phictiúir agus a dhamhsa de dhíth. "Lean mise. Tiocfaimid thart ar a chúl." Thiontaigh Peilí uaithi sa dóigh nach bhfeicfeadh Airne a scanraithe a bhí sé, agus chuaigh sé níos faide feadh na haille sula ndeachaigh sé isteach sna crainn.

Cúpla céim níos faide anonn, tháinig siad a fhad le háit nach raibh mórán crann. Bhí rud éigin ag siosarnach ar an taobh thall. Shín Peilí amach a lámh le hAirne a choinneáil siar. Chroith na sceacha agus amach leis an torc. Chuardaigh Peilí crann lena dhreapadh, ach ba chosúil nach raibh a fhios ag an torc go raibh siad ansin. Bhog na sceacha arís agus an t-am seo nocht an mac tíre, agus lean sí an torc. I bhfaiteadh na súl, d'imigh an bheirt as radharc i measc na gcrann. Ní raibh fuaim ón torc agus ghluais an mac tíre mar a bheadh scáil ann.

"Cá ndeachaigh siad?" arsa Airne i gcogar.

Chroith Peilí a cheann. "Níl a fhios agam. Ach ní thig linn fanacht anseo. D'fhéadfadh siad teacht aniar aduaidh orainn agus ní bheadh a fhios againn go dtí go mbeadh sé rómhall. Dreap thusa suas sa chrann sin. B'fhéidir go dtiocfadh leat a lorg a leanúint."

Ghlac Peilí lóchrainn Airne agus choimhéad uirthi ag luascadh tríd na géaga. Ba ghairid gur imigh sí as radharc. Bhí sé in éad léi as an dóigh a raibh sí ábalta dreapadh agus as an neart a bhí ina guaillí. "An dtig leat iad a fheiceáil?"

"Ní thig go fóill." Tháinig a glór anuas chuige tríd na duilleoga. Ansin, "Thig anois! Feicim an bheirt acu. Thuas an abhainn atá siad, ar an bhruach."

Chroith an crann agus Airne ag sleamhnú anuas. "Seo leat." Rug sí ar a lóchrann. "Caithfimid dul chun cinn orthu agus iad a thiontú siar i dtreo na haille!" Shleamhnaigh sí isteach sna sceacha agus d'imigh i dtreo na habhann.

Ba bhreá le Peilí go mbogfadh siad ní ba ghasta ach bhí a shleá i gcónaí ag dul i bhfostú sna géaga. Bhí deacracht aige leis an lóchrann lasta fosta. Sa deireadh, tháinig siad a fhad le bruach na habhann. Ní raibh an torc le feiceáil. Bhí díomá ar Airne. "Tá sé caillte againn."

"Fan." Chuaigh Peilí ar a ghlúine. "Bhí sé anseo." Leag sé a mhéara ar lorg coise a bhí sa chré. "Tháinig an torc amach as an choill agus chuaigh sé i dtreo na habhann. Bhí sé ag iarraidh trasnú go dtí an taobh eile." Sheas sé suas, thug cúpla coiscéim i dtreo na habhann, agus chrom síos arís. "Agus feicim anseo an áit a ndeachaigh an mac tíre chun cinn air. Tá sí leis ar fad, agus iad ag déanamh ar an aill. Seo leat!" D'imigh sé ina rith.

Lean Peilí lorg na gcos a chuaigh feadh bhruach na habhann. Chuaigh siad thar an chuid ab airde den aill agus chas siad isteach sa choill. "Arís!" ar seisean le fearg. "Táimid ag dul thart i bhfáinní. An bhfeiceann tú a dhath, a Airne?"

Níor tháinig freagra. Thug an tost ar a chúl ar

Pheilí tiontú thart. Ní raibh Airne ann. Ba chóir dó fanacht léi. An dóigh a raibh an chos aici, ní fhéadfadh sí rith chomh gasta leis, agus ní raibh sí i bhfad ag tuirsiú. Chaithfeadh sé dul siar. Ní raibh ach cúpla coiscéim siúlta aige nuair a tháinig sí thart an coirnéal go bacach.

"Tá sé maith go leor, a Airne. Níl deifir ar bith ort. Tá siad caillte againn áit éigin istigh ansin." Bhí Peilí ag croitheadh a láimhe i dtreo na gcrann nuair a bhí trup tobann ann, adhmad ag briseadh, agus phléasc an torc amach as an choill leath bealaigh idir é féin agus a dheirfiúr, agus an mac tíre díreach sna sála air.

Bhí an torc ní ba chóngaraí anois agus d'athraigh sé cúrsa agus thosaigh a dhéanamh ar Airne. Bhrúigh sí an lóchrann lasta ina threo agus thug iarraidh a sleá a fháil ón iall a bhí á ceangal dá droim, ach ní raibh an torc ag dul a stad. Bhí a fhios ag Peilí go raibh sé rófhada uaithi le cuidiú léi.

Ba é an mac tíre a chuir cor sa scéal. Chaith sí í féin chun tosaigh, agus bhain greim as cos deiridh an toirc. Scread seisean, chas thart, agus thug ruathar fúithi, ag gearradh lena starrfhiacail scealptha. Lig an mac tíre sceamhaíl, ach níor imigh sí. Chaith sí í féin thar an starrfhiacail agus rug ar an chluas liobarnach. Luasc an torc bealach amháin agus

bealach eile. Chas agus chor sé. Chonaic Peilí fuil
ag sileadh ina braonta as gualainn an mhic tíre, ach
níor scaoil sí a greim.

Bhí a fhios ag Peilí, mura bhfaigheadh sí cuidiú
go gcaillfeadh an mac tíre an cath. Agus a sháith
eagla air, shaor sé a shleá agus chaith é féin isteach
sa chath, sleá i lámh amháin leis, lóchrann sa
cheann eile. As eireaball a shúile, chonaic sé Airne
ag lámhacán aníos ón taobh eile.

Ní raibh a fhios aige an é go raibh eagla ar an torc roimh na lóchrainn, nó an raibh sé chomh feargach sin leis an mhac tíre agus nár léir dó an chontúirt ina raibh sé féin, ach i dtobainne, thug sé rúid go bruach na haille. Chualathas cnagarnach cloch agus carraigeacha ag titim. D'imigh an torc agus an mac tíre araon as radharc.

Shleamhnaigh Peilí ar a bholg amach go himeall na haille chomh fada agus a lig an misneach dó. Agus greim láimhe aige ar chrann beag, d'amharc sé uaidh síos. Bhí rud éigin dorcha gruagach ina luí ar bhruach gainmheach na habhann, beagnach clúdaithe ag na carraigeacha a thit. Ní fhéadfadh sé a rá cé acu an torc nó an mac tíre a bhí ann.

"Bí cúramach," arsa Airne go cráite ar a chúl. "Cad é a thig leat a fheiceáil?"

Tháinig Peilí a lámhacán ar ais ina treo. "Níl mé cinnte. Beidh orainn dul síos."

Chuaigh siad síos an cosán go dtí an abhainn. Cá raibh an rud a chonaic sé ón aill? D'amharc Peilí suas. An mbeadh sé sábháilte dul ar aghaidh? An raibh tuilleadh carraigeacha réidh le titim? Chaithfeadh sé dul sa seans.

"Fan anseo," a dúirt sé le hAirne, agus dhreap sé thar na carraigeacha, fad a bhí sise ag ligean a scíthe in aice na habhann.

D'úsáid sé crann ar bharr na haille mar threoir, agus lean sé ar aghaidh go dtí go raibh sé ag amharc síos ar chruth dubh a bhí leath i bhfolach faoi na carraigeacha.

"Tá súil agam gurb é an torc atá ann," ar seisean i gcogar nuair a roll sé an chéad charraig. Sin ansin í an starrfhiacail ina smionagar agus leathshúil leath i bhfolach faoi chluas liobarnach. Bhí a shleá réidh ina lámh ag Peilí, ach ní raibh feidhm léi. Bhí an torc marbh. Ba chóir go mbeadh Peilí ag liú le lúcháir. Chríochnaigh an tseilg díreach mar a bhí beartaithe. Ach, níor chríochnaigh.

Bhreathnaigh Peilí an carn carraigeacha, ag iarraidh amharc isteach sna bearnaí agus sna claiseanna eatarthu. Ní raibh iomrá ar bith ar an mhac tíre.

Caibidil a hOcht

Bhí an oíche beagnach ann sular chuir siad síos tine i measc na gcarraigeacha, agus thug siad faoin torc. "Tá sé róthrom lena iompar ar ais go dtí an uaimh, agus goidfear é má fhágaimid anseo é," a dúirt Peilí. "Caithfimid fanacht anseo leis."

Bhí sé ag cuimhneamh ar na cait mhóra a bhíodh ag fánaíocht in amanna suas síos an abhainn. Rinne sé iarracht gan smaoineamh ar an mhac tíre. Bheadh lúcháir air an fheoil a roinnt léi.

Agus an tine ag caitheamh bladhairí suas san aer, leag siad amach na clocha gearrtha ar charraig leata.

"Cuidigh liom," arsa Peilí. Rug sé ar chos tosaigh. Rug Airne greim ar chos deiridh, agus thiontaigh siad an torc ar shlat a dhroma. Chiceáil Peilí carraig faoina ghualainn le nach rollfadh sé ar a thaobh arís. Ansin, roghnaigh sé an scealp ba ghéire agus, ina sheasamh ar scaradh gabhail os cionn chorp an toirc, ghearr sé an craiceann ar a bholg go fíochmhar.

"Tá sé righin!" ar seisean le gnúsacht, é ag gearradh arís agus arís nó gur oscail an craiceann, agus gur nochtadh an fheoil mhéith istigh. Ba mhinic roimhe sin a chuidigh Peilí le hainmhí marbh a ghearradh i ndiaidh lá maith seilge. Bhí a fhios aige cá bhfaigheadh sé an fheoil bhog a d'íosfadh sealgaire ocrach gan í a bhruith. Sháigh sé a lámh isteach sa pholl agus tharraing amach an t-ae dúdhearg. Bhronn sé an chéad slis ar Airne, ach choinnigh sé an dara ceann dó féin. Nach é a bhí blasta! B'iontach an dóigh ar chuir sé neart arís ina gcorp i ndiaidh laethanta fada gorta.

"Tuilleadh?" Shín Airne amach a lámh.

"Ar ball. Ní thig leis an bholg s'againn barraíocht bia mhaith a sheasamh láithreach. Beidh tuilleadh againn i ndiaidh dúinn an craiceann seo a bhaint."

Chuir Airne a méara sa bhearna a bhí déanta cheana ag Peilí. Fad a bhí seisean ag baint an chraicinn den fheoil, bhí sise ag tarraingt.

Bhí an ghealach agus na bladhairí ag caitheamh scáileanna aisteacha ar bhruach na habhann faoin am ar chríochnaigh siad. Bhí an craiceann sínte amach ar an ghaineamh agus á choinneáil ina áit le clocha troma. Bhí siad spíonta, agus shuigh siad in aice na tine, a lámha teannta faoina nglúine acu. Bhí díomá ar Airne. "Is trua nach bhfuil m'athair agus mo mháthair anseo," ar sise i monabhar cainte, agus deoir ag brúchtadh anuas lena leiceann.

"Is trua sin." D'éirigh Peilí ina sheasamh go fadálach. Ní raibh deireadh go fóill le hobair an lae, agus bhí a chorp i bpianpháis ag an tuirse. Rinne sé a bhealach siar idir na carraigeacha, roghnaigh sé crann óg a raibh géaga tanaí air agus stróic cuid acu ar shiúl ón stoc. Ar ais cois tine, rinne sé stua thar na bladhairí leo agus leag stiallacha feola trasna orthu, agus chaith duilleoga sa luaithreach fúthu. "Anois," ar seisean, "triomóidh sin an fheoil agus ní rachaidh sí ó mhaith." Bhí sé ag titim as a sheasamh le tuirse nuair a chuaigh sé síos bruach na habhann a chuardach tuilleadh duilleog.

Leath bealaigh síos, stad Peilí. Bhí rud éigin le cluinstin. Dá mbeadh Airne leis, d'aithneodh sise cad é a bhí ann. Scríobadh crúb ar charraig? Nó an é nach raibh ann ach uisce ag monabhar thar chloch? Bhí Peilí ag iarraidh a thabhairt ar a chluasa na fuaimeanna a chluinstin agus dealú eatarthu. D'amharc sé thart agus ba bhreá leis súile ainmhithe na hoíche bheith ina cheann. Cad chuige nár thug sé leis lóchrann? Ar feadh nóiméid smaoinigh sé air, ach sa deireadh níor bhac sé. Ní raibh roimhe ach turas tríocha coiscéim. Bheadh duilleoga le hiompar ar ais aige, agus bhí sé traochta.

Siúd arís an trup. Bhí a dhroim leis an abhainn agus é ag stánadh isteach sa dorchadas ag bun na haille. Las dhá sholas ar feadh meandair agus mhúch arís.

"Súile," ar seisean i gcogar. Arbh é gur mhothaigh ceann de na cait mhóra boladh na feola? Chúlaigh sé siar isteach san uisce. Bhí snámh ag cuid de na cait mhóra dá mbeadh feidhm leis, ach dhéanfadh siad athsmaoineamh faoi é a leanúint amach san abhainn. Spágáil sé ar ais go dtí an campa.

"A Airne!" arsa Peilí, agus chroith í go dtí gur mhúscail sí. "Chonaic mé rud éigin amuigh ansin. Ar lorg lóchrainn a tháinig mé ar ais. Coigil an tine agus fan i do shuí!"

Dhing Peilí lóchrann isteach sa tine agus d'fhan nó gur las sé. Agus é á choinneáil os a chionn, chuaigh sé de choiscéimeanna fadálacha síos le bruach na habhann, agus stad san áit ar chuala sé an tormán. Chrom sé chun tosaigh, ag stánadh isteach sna scáileanna. Bhí sé cinnte go bhfaca sé cruth nár bhain leis an áit sin. Dhruid Peilí níos cóngaraí. D'aithin sé eireaball agus corp. Bhí a fhios aige gurbh é an mac tíre a bhí ann.

Dheifrigh Peilí thar an ghaineamh agus chuaigh ar a ghlúine in aice léi. Bhí sí chomh ciúin sin, go raibh sé cinnte go raibh sí marbh. Ansin, mhothaigh sé a heasnacha ag éirí agus ag titim. Sháigh sé an lóchrann sa ghaineamh. "Ná bíodh eagla ort, a

Chara," ar seisean i gcogar, agus shlíoc sé a ceann. Ach ní raibh sí mar ba chóir. Bhí a súile druidte ar fad, agus ní raibh sí ag bogadh.

Thíos cois abhann, rinne Peilí cupán dá lámha, scuab aníos lán a dhá lámh d'uisce agus dheifrigh ar ais. "Ná bíodh eagla ort, a Chara," a dúirt sé léi arís agus lig an t-uisce anuas ina bhraonta ina béal. Bhí fuaim aisteach ann nuair a rinne sí iarracht casacht a dhéanamh. Bhí an t-uisce imithe isteach ina scamhóga. Chuaigh crith tríthi agus luigh sí go socair arís.

Chuaigh Peilí ar a ghlúine agus chuir a lámha fúithi go séimh. Ainneoin chomh tanaí léi, bhí sí trom, agus bhí obair aige í a thógáil. Bhí a ceann crochta ar leataobh, a béal leata, agus a teanga ag sileadh amach as a béal. An raibh sí ag dul a fháil bháis?

Ainneoin gur dúradh léi fanacht múscailte, bhí Airne ina codladh cois na tine, agus í cuachta i gcraiceann an fhia, nuair a tháinig Peilí isteach agus na cosa ag imeacht faoi. Leag sé an mac tíre taobh léi, agus luigh síos é féin. Shlíoc sé na cluasa boga, agus labhair léi nó gur thit sé féin ina chodladh.

Am éigin i gcaitheamh na hoíche, mhúscail trup grágach é. Liopard a bhí ann. D'aithin sé an chasacht chrónánach gharbh. Fuair an liopard boladh na feola.

Bhí an tine anois beagnach as, agus b'iontach nár tháinig sé ní ba chóngaraí. D'éirigh Peilí agus charn sé tuilleadh adhmaid ar an tine. Léim na bladhairí in airde san aer. Thug an liopard léim lúth amach sa dorchadas.

Ba é boladh an mhic tíre, arsa Peilí leis féin agus é ag luí síos arís, a choinnigh an liopard amach uathu. Chuirfeadh sé sin ar a airdeall é. Níor thuig sé go raibh an créatúr bocht ionann is marbh. Thug sé spléachadh anonn ar an mhac tíre agus léim a chroí.

Bhí a súile oscailte. Bhí sí á choimhéad.

Thug Peilí isteach tuilleadh uisce, an t-am seo i ngiota de chraiceann toirc a bhí fillte aige mar a bheadh babhla ann. Chuir sé taca a láimhe faoi cheann agus ghuaillí an mhic tíre, agus choinnigh an babhla sa lámh eile. Trí huaire ligh a teanga an t-uisce, ach ní thiocfadh leis a rá gur shlog sí é. Dhruid a súile ansin agus leag sé ar ais ar an ghaineamh í.

D'fhág Peilí an babhla os a comhair, agus luigh

sé siar ar shlat a dhroma, ag stánadh in airde ar na réaltaí. Cad é a tharlódh amárach agus an lá ina dhiaidh sin agus an lá ina dhiaidh sin arís?

Bhí lá maith seilge inniu acu, ach bhí a fhios ag Peilí go raibh an t-ádh dearg orthu. Shín sé amach a lámh chuig an mhac tíre agus shlíoc a cluasa. Bhí an t-ádh orthu go háirithe go raibh an mac tíre ag cuidiú leo. Ba í a shábháil a mbeo.

Caibidil a Naoi

Bhí dreach báiteach ar an spéir ar maidin nuair a mhúscail Peilí arís. Bhí Airne ina codladh go fóill, agus níorbh í a chuir isteach ar a chodladh. Thiontaigh sé a cheann. Bhí an mac tíre á streachailt féin ar a cosa. Thiontaigh sé a chorp agus chuidigh léi.

"Ná bíodh eagla ort, a Chara," ar seisean go mín. Fuair sé an t-uisce, agus choinnigh lena soc é. D'ól sí beagán de, agus luigh síos arís. "Tá rud agam duit ab fhearr leat ná sin," ar seisean i gcogar léi. Ghearr sé slis ae le scealp, ghearr ina píosaí beaga í, agus thairg di iad.

"Tá tú ag bronnadh feoil mhaith s'againne ar an mhac tíre!" Mhúscail Airne agus chonaic sí an rud a bhí sé a dhéanamh.

Choinnigh Peilí an giota deiridh léi. "Tá ocras uirthi."

"Tá sé sin amaideach! Beathóidh tú í go dtí go mbeidh sí láidir go leor le muid a ionsaí!"

"Má bhí sí le muid a ionsaí, cad chuige nach ndearna sí roimhe seo é?"

Chuir Airne strainc uirthi féin.

"Nach dtuigeann tú? Ach ab é an mac tíre, gheobhadh an torc greim ormsa sa choill agus ortsa ar an aill!" Bhí Peilí ag cailleadh foighne lena dheirfiúr.

Tháinig gnúsacht bhagrach ó scornach an mhic tíre. Streachail sí ina seasamh, ach baineadh tuisle di agus thit sí arís ina cnap ar an ghaineamh.

"Ná bíodh eagla ort, a Chara," arsa Peilí, ag dul ar a ghogaide taobh léi agus ag tabhairt amharc fiata ar Airne.

"B'fhéidir gur cara duitse í, ach tá fuath aici ormsa," arsa Airne.

"B'fhéidir gurbh fhearr duit rud éigin a dhéanamh a spreagfaidh í le dúil a chur ionat," arsa Peilí, "nó tá rún agamsa í a choinneáil."

"Cad é a thig liom a dhéanamh? Ní thig liom dul in aice léi."

"Tabhair bia di. Sin tús na hoibre."

Thóg Airne aníos stiall den fheoil thirim agus bhog go faichilleach i dtreo an mhic tíre, agus greim ag Peilí ar an bhóna fionnaidh faoi mhuineál an ainmhí. Bholaigh sí an bia, ach níor bhain sí de.

"Fág aici é agus imigh leat," a mhol Peilí di. Rinne Airne sin, fuair an mac tíre an bia agus d'alp siar é.

"Tá drochdhóigh ar a cos." Dhírigh Airne méar ar an chneá a bhí déanta ag starrfhiacail an toirc. Bhí an chos agus an ghualainn ata. "Sin an fáth nach dtiocfadh léi seasamh."

"An dtig linn rud ar bith a dhéanamh di?"

"B'fhéidir go dtiocfadh linn cuid de dhuilleoga leighis mo mháthar a chur uirthi. Ach níl a fhios agam an leigheasfadh siad mac tíre." Nuair a smaoinigh sí ar mhac tíre a leigheas in áit é a mharú faoi choinne an chraicinn, tháinig draothadh gáire ar aghaidh Airne. Is beag nach raibh sé greannmhar. Ach ansin, ó d'imigh na tuismitheoirí, bhí na rialacha uile tiontaithe bun os cionn. B'éigean d'Airne cuidiú sa tseilg, agus seo anois Peilí ag iarraidh mac tíre a leigheas.

"Cá bhfásann na duilleoga sin?" a d'fhiafraigh sé di.

"In aice leis an uaimh. Ach ní thig leis an bheirt againn dul ar ais ansin agus an fheoil a fhágáil. Goidfidh rud éigin é."

"Rachaidh mise ar ais," arsa Peilí. "Fan thusa anseo."

"Ní fhanfaidh mise anseo léi sin." D'amharc Airne ar an mhac tíre. "Agus níl a fhios agatsa cén chuma atá ar na duilleoga. Agus, sula ndéarfaidh tú é, ní rachaidh mé ar ais tríd an choill liom féin ach a oiread."

Bhí an ceart ag Airne. Chaithfeadh siad fanacht le chéile. I gceann nóiméid, bhí socraithe aige cad é a bhí le déanamh.

"Cuidigh liom giotaí níos lú a dhéanamh den torc," ar seisean. "Thig linn iad a chur i bhfolach faoi charraigeacha éagsúla. Má thagann an liopard sin, ní bheidh an t-am aige le cuid ar bith de a ghoid. Ar scor ar bith," leag sé lámh ar cheann an mhic tíre, ag cuimhneamh ar an dóigh ar choinnigh a boladh siúd an cat mór ar shiúl an oíche roimhe sin, "déanfaidh tusa faire, nach ndéanfaidh?"

Bholaigh an mac tíre an fheoil a thairg sé di, ach an t-am seo, níor ith sí í. Bhí drochrud éigin i ndiaidh dul isteach ina corp tríd an chneá. Chaithfeadh siad na duilleoga sin a fháil gan mhoill.

"Anois, an chuid eile den fheoil," agus rinne sé dhá leath de chraiceann an bhéir. Chorn sé dhá ghiota feola eile i ngach stiall craicinn. Cheangail sé an burla ba lú ar dhroim Airne leis na hiallacha caite, agus thóg sé féin an ceann ba mhó. Las Airne an lóchrann deiridh agus ar aghaidh leo chun na huaimhe.

Bhí an ghrian in ard na spéire nuair a tháinig siad amach as an choill agus a dhreap siad an cosán. Chuimhnigh siad ar an bhéar a ghabh seilbh ar an uaimh nuair a d'fhág siad uair amháin roimhe í, agus bhí siad ar a bhfaichill lena chinntiú go raibh sí folamh.

D'fhág Peilí an fheoil ar sheilf ard agus las tine in aice leis an bhealach isteach. Chruinnigh Airne a cuid duilleog.

"Cuirfidh sí sin bac ar na cait mhóra," arsa Peilí, ag breathnú go sásta ar na bladhairí. Chaith sé tuilleadh brosna orthu agus thiontaigh siad siar chun na habhann. Agus iad ag siúl cosán na coille, bhí sé ag smaoineamh ar an uair a thiocfadh siad ar ais. Cá fhad a choinneodh an tine an fheoil sábháilte? Cá fhad go mbeadh siúl arís ag Cara?

Tháinig siad ar rianta cos ar bhruach na habhann. Shíl Peilí gur leis an liopard iad, ach gur dócha go raibh eagla air teacht ní ba chóngaraí dá gcampa.

D'fhliuch Airne dornán duilleog nó go raibh siad ar maos agus thug do Pheilí iad. "Déan thusa é," ar sise go doicheallach.

"Ná bíodh eagla ort, a Chara," arsa Peilí i gcogar leis an mhac tíre, ach ba mhaith a bhí a fhios aige go raibh idir eagla agus phian uirthi. Agus é ag brú na nduilleog go mín sa chneá, bhí a súile druidte ar fad agus a hanáil ag teacht ina snaganna glóracha.

"Beidh agat leis na duilleoga a cheangal," a dúirt Airne leis. Bhí cuma fhurasta air ach ba ghairid gurbh éigean d'Airne cuidiú leis. D'úsáid siad stiallacha de chraiceann an toirc.

Bhí an ghealach ag éirí nuair a las an bheirt an tine agus choinnigh giotaí feola os a cionn ar chipíní. I ndiaidh dóibh bia a ithe, thug Peilí uisce agus bia chuig an mhac tíre. D'ól sí beagán, ach níor ith sí rud ar bith. Bhí Airne gnóthach ag ullmhú dornán duilleog úr.

"Luigh go socair," arsa Peilí i gcogar agus iad á gceangal leis an chneá.

An mac tíre a mhúscail Peilí an mhaidin dár gcionn. Bhí sí ina suí ag creimeadh na stiallacha craicinn a bhí ag coinneáil na nduilleog. "Tá biseach ag teacht ort," ar seisean, agus chuidigh sé léi na duilleoga a bhaint di. Thosaigh sé a shlíocadh a cuid cluas, ach dhruid sí uaidh.

"An bhfuil biseach uirthi?" Bhí Airne ina suí, ag cuimilt a cuid súl.

"Tá, ach..." Bhí an mac tíre ag drannadh. Shiúil sí cúpla céim bhacach feadh bhruach na habhann.

"Cluineann sí rud éigin," arsa Airne i gcogar. "Agus cluinimse fosta. Thuas ansin." D'amharc sí i dtreo bharr na haille. Thit dornán cloch anuas le cliotaráil.

"A Pheilí! A Airne!" Glór a d'aithin siad a scairt a n-ainmneacha. Bhioraigh cluasa an mhic tíre le himní, agus d'imigh sí as radharc síos an abhainn.

Caibidil a Deich

"D'éirigh na haibhneacha i ndiaidh na fearthainne," a mhínigh an t-athair agus iad ina suí cois tine ag ithe. Ba é seo an chéad bhlas feola a bhí ag na tuismitheoirí ón am ar imigh siad. "Sin an fáth nach dtiocfadh linn teacht ar ais."

"Níor chóir dúinn imeacht riamh," arsa an mháthair. "Bhí muid imníoch fá dtaobh díobh i rith an ama, agus ní raibh an t-ádh linn sa tseilg."

"Bhí muid maith go leor," arsa Peilí. Leis an bhia mhaith a bhí siad a ithe le cúpla lá, bhí sé ag déanamh dearmad den drocham. Bhí moill air labhairt faoin mhac tíre. B'fhéidir go ndéarfadh a athair gur chóir dó í a mharú faoi choinne a craicinn. Bhí sí i ndiaidh éalú, cibé. Ba thrua leis an méid sin, ach bhí an t-ádh orthu gur fhill a dtuismitheoirí. B'fhéidir gur barraíocht é bheith ag dúil leis an mhac tíre fosta.

"Is léir gur éirigh go breá libh gan muid." Rinne a athair draothadh gáire le bród agus sháigh sé a chuid fiacla láidre buí i bhfeoil an toirc.

Ní ba mhoille an lá sin, phacáil siad fuílleach na feola ar a ndroim agus thug aghaidh ar an uaimh.

Bhí siad ag dreapadh an chosáin fhiarláin, nuair a stad an t-athair i dtobainne. "Cad é sin?" Thiontaigh gach duine le hamharc. "Thíos ansin." Dhírigh sé a mhéar ar scáil a bhí ag bogadh sna sceacha thíos.

Thiontaigh Peilí siar an cosán agus thosaigh a scairteadh go bog. "Ná bíodh eagla ort, a Chara." Tháinig an mac tíre de chéim bhacach i dtreo a chuid méar sínte. Shlíoc sé a ceann leis an lámh amháin, agus d'inis dá thuismitheoirí mar a d'ionsaigh an mac tíre an torc agus gur shábháil sí ar ghortú nó fiú ar an bhás iad.

"Agus chneasaigh mise a gualainn le cuid de do dhuilleoga leighis," a d'inis Airne dá máthair.

An oíche sin, agus iad ina suí cois tine, d'inis an t-athair scéalta dóibh faoi mhic tíre eile. "Rud iontach mac tíre ceansaithe a bheith agat," ar seisean. "Ach is féidir go mbeidh céim bhacach sa cheann seo go deo."

"B'fhéidir nach miste sin," arsa Peilí agus draothadh gáire air. "Tá céim bhacach in Airne, agus níl rud ar bith cearr léise."

85

Ón Údar

In amanna, léirítear muintir na Clochaoise mar dhaoine nach raibh cineáltas ná clisteacht ag baint leo. Ach an ndearna tusa iarracht riamh poll a thochailt a bhí mór go leor le béar a cheapadh, agus gan agat ach bataí adhmaid agus do lámha? Ar thriail tusa ainmhithe allta a ghabháil faoi choinne bia, agus éadaí a dhéanamh dá gcraicne, nó uirlisí oibre agus cogaidh a dhéanamh, agus gan agat ach clocha agus bataí?

Is múinteoir mé, agus mhothaigh mé riamh go mbíonn fonn ar pháistí foghlaim faoi theaghlaigh na haoise sin. Deir cuid acu fiú gur bhreá leo bheith beo san am sin. Mar sin de, bheartaigh mé go scríobhfainn an scéal seo faoi Airne agus faoi Pheilí, beirt pháistí a fágadh leo féin gan choinne, agus gan de dhídean acu ach uaimh a dteaghlaigh agus tine bheag.

Marie Gibson

Ón Mhaisitheoir

An chéad uair a iarradh orm *Cara san Fhásach* a mhaisiú, bhí a fhios agam gur dom féin a ceapadh an obair sin. Bhí dúil mhór riamh anall agam sa saol Pailéiliteach ó chuir mé eolas air ar dtús sa scoil ealaíne.

Mura mbeinn i mo mhaisitheoir leabhar, ba bhreá liom bheith i m'ealaíontóir seandálaíochta, ach ní dheachaigh mé ní ba chóngaraí dó riamh ná cúpla pictiúr a phéinteáil faoi chiníocha ársa agus faoi dhineasáir. Mar sin féin, cúpla bliain ó shin, fuair mé deis dul ar thóir cnámha dineasár i lár Queensland na hAstráile.

An mac is óige agam agus mo neacht, chomh maith le mo dhearthair agus a bhean, a bhí ina mainicíní agam don leabhar seo agus is mór an taitneamh a bhain mé as é a mhaisiú.

Kelvin Hawley

Pointí Plé

1. Ina bhrionglóidí, chonaic Peilí laethanta níos sona, agus é leis na teaghlaigh eile agus lena chara Gil. An síleann tú go ndeachaigh na brionglóidí i bhfeidhm ar an dóigh ar mhothaigh sé faoin mhac tíre?

2. Tuar oilc a bhí i gcos cham Airne, dar leis na teaghlaigh eile. Cad chuige a sílfeadh siad sin?

3. Mura bhfaca tú líníocht nó pictiúr riamh roimhe, an síleann tú go gcuirfeadh pictiúir na huaimhe eagla ortsa, mar a chuir siad ar Pheilí agus ar Airne? An sílfeá go mbeadh cumhachtaí draíochta iontu?

4. Ar léirigh Peilí agus Airne gur sealgairí cliste iad nó an raibh an t-ádh orthu? Mura dtiocfadh na tuismitheoirí ar ais, an síleann tú go dtiocfadh na páistí slán? Cad chuige?